Forza! tre

Nancy Posterino

Etna nord

Piano Provenzana

escursione
ai crateri

pineta Ragabo

EMCParadigm

ISBN 0-8219-2371-4

Published by EMC/Paradigm Publishing
875 Montreal Way
St. Paul, Minnesota 55102
800-328-1452
www.emcp.com
E-mail: educate@emcp.com

Printed and bound in Singapore by Craft Print Pte Ltd
1 2 3 4 5 6 7 8 9 10 XXX 06 05 04 03 02 01

Edited by Jo Horsburgh
Designed by Kirstin Lowe
Photographs by Tommaso Romeo, Barbara Degiorgi and Anthony
Hughes
Location production by Sara Villella and Katia Dallafior
Illustrated by Caveboy Studios
Map by Russell Bryant
Language consultant: Laura Hougaz, Swinburne University of
Technology, Melbourne
Teaching consultant: Caterina Ferri, Lakeside Secondary College,
Melbourne

Film by Typescan
Printed and bound by Craft Print Pte, Singapore

Acknowledgements
The author and publisher would like to thank all those who gave
their permission to use copyright material, including the following
organisations, companies and individuals:

pp 25, 59 Vespa photo, Piaggio; pp 25, 121 mobile phone, Nokia

pp 25, 57 long pants, backpack, jacket – photos all from Invicta
spa, via Mazzini 20, 31031 Caerano di San Marco (TV).
www.invicta.it
www.iwantobefree.com
interactive@invicta.it

p 63 '50 Special' © testo e musica, Cesare Cremonini; Edizioni
Musicali: Double-Face/Market

p 67 laptop computer photo, Olidata; aeroplane photo, Alenia; TV
photo, Seleco

p 102 logo, Legambiente; logo, ENPA; aid photo, Rod Curtis/World
Vision

p 120 victims of war photo, Steve Matthews/World Vision; famine
victims, World Vision; indigenous Australian protest march, ATSIC;
student protest march, Jo Horsburgh

Ringraziamo
a Melbourne

Rosetta Posterino   Katia Dallafior

Angelo Reginato   Amber Parkinson

Daniele Vitali   Elisabetta Ferrari

a Roma

Angelo Provera

i professori e gli studenti del Liceo Scientifico «Cavour» di Roma
Professoressa Mary Ruhan e Professoressa Rannelletta

Silvia Cardarelli, Signora Cardarelli e famiglia

Simone Gargasole

Arianna Rossi

Francesco Tagliacozzi

il personale del Gruppo Didacom (Silvia, Christian, Angela, Tiziana,
Fabrizio)

Katia Rossetto, Fabrizio Bresciani, Lucia Chiurco e Luca

a Bologna

Luca Venturelli   Carolina Braina

Alessandro Galavotti   Valentina Fortunio

Lucia Malatesta   Carmen D'Andrea

Trentino-Alto Adige

Ylenia Moser e famiglia

in Sicilia:
a Vizzini

la famiglia Gandolfo

a Caltagirone

i professori e gli studenti del Liceo Ginnasio «Bonaventura Secusio»
Professoressa Giovanna Gandolfo e i suoi studenti

Leandro Failla

Chiara Amato, Signora Amato

Giusy

Melania e famiglia

Emanuele

Indice e contenuto

Cultural topics
- being at school in Italy
- personality traits for star signs
- life in Caltagirone
- a brief history of Caltagirone

Communicative tasks
- describing events in the past
- talking about daily routine
- describing personal characteristics
- telling people what to do

Text types
- description
- graph
- note
- survey
- timetable
- web page

Language points

Review and reinforcement
- present perfect
- direct object pronouns
- imperatives
- reflexives

Capitolo 2 p 19

Più sani di così non si può!

Cultural topics
- healthy eating and lifestyle in Italy
- at the gym
- reminiscing about the way things were

Communicative tasks
- describing events in the past
- talking about the way things were
- discussing health and fitness
- making comparisons

Text types
- advertisment
- graph
- interview
- quiz
- timetable

Language points

Review and reinforcement
- present perfect
- direct and indirect object pronouns

Indice e contenuto

Indice e contenuto

Indice e contenuto

Prefazione

Benvenuto a *Forza! tre*. Dopo tanto lavoro, e spero tanto divertimento, sei arrivato all'ultimo livello del corso! Congratulations on making it this far in your journey of discovery of Italian life and language.

In *Forza! tre* you will meet some new people: Leo and his friends Chiara, Melania, Giusy and Emanuele, who attend high school in the picturesque town of Caltagirone, in south eastern Sicily. You'll get a glimpse of the Italian school system through their eyes, and you'll find out about their interests and plans. Leo has a crush on Chiara...will they ever become more than just friends? Is it for Chiara's sake that Leo asks Melania's advice about fitness and working out at the gym? Will Giusy drive everyone mad with her healthy lifestyle philosophy? Emanuele tries to offer Leo some good advice, but the road to romance isn't always a smooth one. You'll see at Gaby's party how valuable good friends are, and how Chiara teaches Leo to dance. You'll follow the gang on their trip to Mt. Etna, Sicily's famous and still smouldering volcano, where Leo learns humility after lecturing everyone about protecting the environment. As Melania ponders her future study and career options, you'll find out about her friends' hopes for the future as well. Will Emanuele ever do any homework, or will he simply become a rock star...or play for Fiorentina?

You'll meet Silvia, Marco, Arianna and Daniele from Rome, and find out what they like to do in their free time. Will Silvia's guitar playing ever improve? Then it's over to Bologna where Susanna and her friends will show you around their lovely city. Silvia's friend Ylenia also lives in Bologna, and you'll hear all about her vacation in the spectacular Alpine region of Trentino-Alto Adige. You'll make a trip to Milan and Florence to see the sights...and give in to the temptation to go shopping! Italy is, after all, the place for top design, not only in fashion and Vespas, but in industry too.

You should be familiar by now with the structure of chapters in *Forza!*; however, here is a summary of the activities in the *Textbook*:

Fotoromanzi

Each chapter has two **fotoromanzi** (photo-stories) in which the themes of the chapter are developed, and new language points are presented. The language that you already know is recycled, too! These stories will help you learn about Italian people, culture and lifestyles while you learn the language. Your teacher has recordings of these stories on CD, so that you can hear how young Italians speak, as well as read about them.

Don't worry if you can't completely understand the **fotoromanzi** at first reading. They are designed to be revisited often, and full comprehension will come gradually. You may decide to read the vocabulary lists in each chapter to get a feel for the new words and expressions before reading the stories. Whichever way you approach them, these stories will provide you with lots of authentic Italian to use in your own speaking and writing.

Each chapter also contains other material to read, such as timetables, notes, graphs, letters, advertisements, songs, articles, a poem and a quiz.

Impariamo le parole!

You will need to learn the new words and expressions that you come across in the **fotoromanzi** and other texts, and these are listed in the **Impariamo le parole!** sections in each chapter. All the important vocabulary you have learned over the three levels of **Forza!** is also contained in the **Vocabolario** at the back of the book, so you can always find what you're looking for easily. At this stage of language learning, you should be adventurous: in addition to the *Forza!* **Vocabolario**, make the most of a good English–Italian dictionary.

Speaking activities

The speaking activities presented in the *Textbook* are designed to help you practice using new words and language structures in authentic and practical ways. You will be encouraged to apply the new language to your own life as well. There are related listening, reading and writing tasks in the *Workbook*, so that you can practice all the different skills needed for effective communication.

Domande

The **Domande** after each **fotoromanzo** will help you understand and discuss the stories in class. You can answer the questions briefly, without too much planning. Look for words and expressions from the **fotoromanzo** to include in a simple spoken response. There will be opportunities to write full answers in the *Workbook*.

In poche parole

The **In poche parole** are brief dialogues that help you practice a particular category of vocabulary, or a particular grammatical structure. These dialogues can be applied to each of the different pictures or items on the page. To do this you must vary the words in **bold** to make them relevant to the picture, person or item in question.

Prefazione

Your teacher will tell you whether to practice the **In poche parole** in pairs, in groups or as a whole class.

A tu per tu

The **A tu per tu** activites enable you to use the new language of the chapter to create an extended conversation in which you might:

- ask for and give information
- make plans
- make suggestions
- make a purchase
- make a booking
- present a point of view

With a partner, you can take turns to create a conversation that flows, by choosing the appropriate thing to say from the options offered. There are many combinations possible, so you'll be able to practice at least two or three versions of the conversation. You'll need to listen carefully to what your partner says, so that you choose a reply that makes sense.

A lingua sciolta!

The **A lingua sciolta!** activities allow you to use the language you have learned to talk about your own life, your interests, Italian culture and the Italian-speaking community. Some guidelines and examples are provided to help you, but you are in control. It is up to you to decide how to use the Italian you have learned to suit the purpose of the task, whether it be a role-play, an interview, a survey, a presentation, an advertisement, a conversation between friends or a phone call. Some of the tasks need planning and research, and should be excellent opportunities for you to find out more about Italy and the Italian-speaking community.

Studiamo la lingua!

The **Studiamo la lingua!** section appears in every chapter, to help you understand the structure of the Italian language. The explanations given here build on what you have already learned, and show you how to be in control of what you say.

You can achieve a deeper understanding of the way Italian works if you try to analyze grammatical patterns in the **fotoromanzi** first. If you try to shape some rules by yourself first (we know it's not always easy!) then you will be in a much better position to understand the explanations in **Studiamo la lingua!**. Having read the points in this section, the next step is to put these new structures into practice:

- practice the speaking tasks
- re-read the **fotoromanzi**, focusing on the use of a particular language structure
- complete the listening and writing tasks
- try using the structures when speaking and writing about your own life

Don't worry about making mistakes! The only way to learn a language is to practice it.

Take time out to review the language and vocabulary that you've learned before.

When you see this symbol in the *Textbook*, it indicates that there is a recording of the text on the *Forza! tre* Audio CDs that your teacher can play to you.

When you see this symbol in the *Textbook*, it means that there are materials in the *TER* (*Teacher's Electronic Resource*) to support the activity that you're doing. Your teacher will be able to print out the relevant pages for you. As well, the *TER* has extension activities, assessment tasks, supplementary reading materials, technology tips, and checklists for you to monitor your progress in Italian.

Tocca a te!

Una giornata-tipo per gli studenti di Caltagirone

You'll learn how to:

- talk about classes and subjects
- talk about after school activities
- read an Italian class schedule
- tell people what to do
- talk about star signs
- describe a friend's personality

You'll find out about:

- being at school in Italy
- life in Caltagirone, Sicily

Una giornata-tipo al liceo «G. Marconi»

Benvenuti a Caltagirone! È un paese di 38 mila abitanti. È uno dei paesi più antichi della Sicilia. Caltagirone ha un centro storico, ma anche dei quartieri moderni.

Caltagirone è nota per la produzione di ceramiche, una tradizione molto antica. Le strade, i muri, i pavimenti e gli edifici sono decorati con delle ceramiche coloratissime.

Ecco il liceo scientifico «G. Marconi». Gli studenti non sono sempre molto scientifici, però! I ragazzi studiano non solo scienze, ma anche le materie umanistiche e l'educazione fisica. Il «Marconi» non sembra molto bello, ma agli studenti la scuola piace molto, perché possono incontrarsi con gli amici.

Sono le otto. Leo e Chiara sono appena arrivati a scuola. Fanno la seconda media della scuola superiore, cioè la seconda media superiore.

Sei in orario, che miracolo! Ti sei alzato presto stamattina? E ieri che cosa hai fatto di bello?

Ieri sera Giusy ed io siamo andati a vedere quel nuovo film *Il Gladiatore*. Ci è piaciuto molto. Perché non sei venuta anche tu?

Mi dispiace, ma Giusy non ti ha detto niente? Oggi ho una prova di scienza e ieri ho studiato tutta la sera.

Finalmente arrivano anche Emanuele, Melania e Giusy.
Melania, la bruna, è molto sincera e comprensiva con
gli amici. Giusy, la bionda, è seria...ma a volte anche
scherzosa.

> Ciao Leo! Ciao Chiara!

> Ehi, Viola, come mai gli occhiali? Hai fatto tardi come al solito?

5

> Ma non me ne parlare! Sono davvero stanco. Ieri sera ho lavorato con mio padre, e sono andato a letto all'una. Non ho fatto i compiti.

> Tanto per cambiare! Hai parlato con Barbara per tutta la serata, vero?

«Viola» è il soprannome di Emanuele. Si chiama così
perché tifa per la Fiorentina.

Sono le nove e venti. È la seconda ora di lezioni.
Gli amici sono insieme per la classe d'inglese. La
professoressa spiega la lezione e scrive sulla
lavagna. Giusy ascolta attentamente. Le piace
l'inglese, e vuole ricevere un buon voto.

8 La terza frase è <<Don't watch too much television>> cioè <<Non guardare troppa televisione>>.

Chiara e Giusy non possono fare a meno dei loro
telefonini.

> No Roberto, non posso venire, ho una lezione di educazione civica. No, non telefonarmi stasera, ho un sacco di cose da fare...chiamami domani, va bene?

6

> Non preoccuparti mamma, oggi torno a casa presto...no mamma, non pulire la mia camera, non toccare niente!

7

> Ma che cosa fai? Prepari il compito d'inglese? Bah, tienilo lontano! Non l'ho fatto, e se la prof mi becca per l'interrogazione?

> Se ti chiama perché non le dici che non ti senti bene?

Arriva il momento dell'interrogazione. Oggi tocca a
Gaby. Non ha paura perché è preparata. La prof le da
8 su 10.

> I saw the girl of whom the mother is a doctor.

9

> Hmm, bene, ma si dice 'whose' e non 'of whom'.

> Caspita! Che domanda difficile! Meno male che la prof non mi ha beccato!

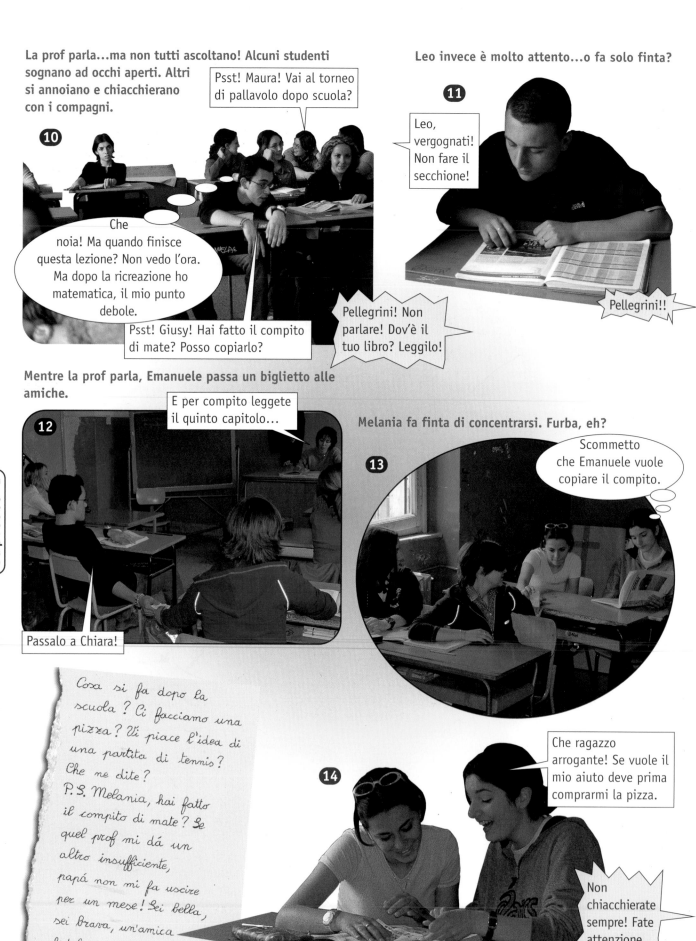

La prof parla...ma non tutti ascoltano! Alcuni studenti sognano ad occhi aperti. Altri si annoiano e chiacchierano con i compagni.

Leo invece è molto attento...o fa solo finta?

10

Psst! Maura! Vai al torneo di pallavolo dopo scuola?

Che noia! Ma quando finisce questa lezione? Non vedo l'ora. Ma dopo la ricreazione ho matematica, il mio punto debole.

Psst! Giusy! Hai fatto il compito di mate? Posso copiarlo?

Pellegrini! Non parlare! Dov'è il tuo libro? Leggilo!

11

Leo, vergognati! Non fare il secchione!

Pellegrini!!

Mentre la prof parla, Emanuele passa un biglietto alle amiche.

12

E per compito leggete il quinto capitolo...

Passalo a Chiara!

Melania fa finta di concentrarsi. Furba, eh?

13

Scommetto che Emanuele vuole copiare il compito.

Cosa si fa dopo la scuola? Ci facciamo una pizza? Vi piace l'idea di una partita di tennis? Che ne dite?
P.S. Melania, hai fatto il compito di mate? Se quel prof mi dá un altro insufficiente, papá non mi fa uscire per un mese! Sei bella, sei brava, un'amica fedele... ci vediamo nella ricreazione, OK?

14

Che ragazzo arrogante! Se vuole il mio aiuto deve prima comprarmi la pizza.

Non chiacchierate sempre! Fate attenzione, per favore.

Impariamo le parole!

Nomi

l'attività pomeridiana	afternoon activity *(elective)*
il centro storico	historical center of a town
il punto debole	weakness; weak subject
l'edificio	building
l'educazione civica	social studies
la filosofia	philosophy
l'insegnante *(m, f)*	teacher
l'insufficiente *(m)*	unsatisfactory (school grade)
l'interrogazione *(f)*	oral test on what was learned the previous lesson
il liceo	traditional high school
la mate	abbreviation of *la matematica*
il muro	outside wall
l'orario	schedule
il pavimento	floor
il/la prof	abbreviation of *professore*
la prova	test
il quartiere	neighbourhood
la ricreazione	recess
il sacco	a sack; a pile
le scienze	science
la scuola superiore	high school
il soprannome	nickname
il telefonino (il cellulare)	mobile phone
il voto	grade

Aggettivi

comprensivo	understanding
fedele	loyal
furbo	sly
sincero	sincere

Verbi

annoiarsi	to get bored
beccare	to pick on
chiacchierare	to chat
fare a meno di	to do without
fare finta (di)	to pretend (to)
fare tardi	to stay up late
incontrarsi con	to meet
scommettere	to bet
sognare ad occhi aperti	to daydream
vergognarsi	to be ashamed

Espressioni e parole utili

attentamente	carefully
fare il secchione	to be overly studious
non me ne parlare!	don't talk to me about it!
non vedo l'ora	I can't wait
tanto per cambiare!	just for a change!

Domande

1. Perché è nota Caltagirone?

2. Che tipo di scuola frequentano Chiara e Leo?

3. Perché la scuola piace molto agli studenti?

4. Cosa pensa Leo de *Il gladiatore*?

5. Qual è il soprannome di Emanuele? Perché si chiama così?

6. Se l'insegnante d'inglese vuole interrogare Leo, che cosa le può dire come scusa?

7. Che cosa fanno gli studenti durante la lezione d'inglese?

8. Perché è attenta Giusy?

9. Emanuele che cosa chiede a Melania?

In poche parole

1 Leggi l'orario e chiedi ai ragazzi come hanno passato la ricreazione. Cosa pensano delle materie? Quale attività pomeridiana scelgono?

L.S. «G. Marconi» Orario per il 2° anno

Lezione		lunedì	martedì	mercoledì	giovedì	venerdì	sabato
1a	8:15	Italiano	Storia	Italiano	Geografia	Informatica	Inglese
2a	9:10	Latino	Matematica	Inglese	Matematica	Italiano	Latino
3a	10:05	Storia	Filosofia	Ed. fisica	Italiano	Matematica	Scienze
Ricreazione	10:55						
4a	11:05	Geografia	Geografia	Informatica	Scienze	Inglese	Filosofia
5a	11:55	Informatica	Geografia	Filosofia	Scienze	Scienze	Matematica
6a	12:45	Inglese	Informatica	Educazione civica	Ed. fisica	Educazione civica	
Attività pomeridiane	13:45	Gruppo di teatro	Tennis	Calcio	Pallavolo	Tedesco	
		Atletica leggera	Club di teatro		Tedesco	Coro	Cinema club
		Tedesco	Internet club				

Le chiacchierone!

Si credono sportivi!

Giusy

W l'italiano
M l'ed. fisica

Chiara

W l'inglese, le scienze
M la geografia

Emanuele

W l'informatica
M la matematica

Leo

W la storia
M l'informatica
io ♡ Nutella

Melania

W la filosofia la mate
M l'informatica
Biblioteca queen!!

1
A **Chiara**, che cosa hai fatto durante la ricreazione?
B **Ho letto una rivista.**

2
A **Leo e Melania, vi** piace l'**informatica**?
B **No, non ci** piace.

3
A A **Emanuele** piace l'**inglese**?
B **No, non gli** piace.

4
A Noi scegliamo **il cinema club** per questo pomeriggio, e **Giusy**?
B **Le** dico di venire con noi, va bene?

Durante la ricreazione:
- leggere una rivista
- giocare a basket
- chiacchierare con amici
- fare delle telefonate
- fare uno spuntino

fare uno spuntino	to have a snack
evviva...! W	hooray for...!
abbasso...! M	down with...!

In poche parole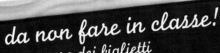

2 Sei il/la prof. I tuoi nuovi studenti sono un po' birichini e pigri. Bisogna sempre dire loro quello da fare e non da fare.

da non fare in classe!
- passare dei biglietti
- chiacchierare
- fare lo stupido
- dire stupidaggini
- dire bugie

| 1 | A | Non **dire stupidaggini**! |
| | B | Ma non **dico** mai **stupidaggini**. |

| 2 | A | Non **fate gli stupidi**! |
| | B | Ma non **facciamo** mai **gli stupidi**. |

Read **Studiamo la lingua!**, point 5 on page 9 before attempting No. 3 and 4.

da fare!!
- leggere le pagine
- ripetere la parola
- scrivere la frase
- aprire il libro
- studiare la lezione
- chiudere la porta
- finire gli esercizi

3	A	**Leggi la pagina**, per favore.
	B	Ma professore…
	A	**Leggila** subito!

4	A	**Finite gli esercizi**, per favore.
	B	Ma professore…
	A	**Finiteli** subito!

Smettetela!

il prof comanda…

alzarsi
muoversi
fare attenzione
andare alla lavagna
sedersi
stare zitto

Read **Studiamo la lingua! 2**, point 2 on page 15 before attempting No. 5.

| 5 | A | **Va' alla lavagna!** |
| | B | Subito, prof. |

6	A	**Sedetevi!**
	B	Sissignora!
	OPPURE	
	B	Sissignore!

…e gli student ubbidiscono!

Studiamo la lingua! ①

1 I pronomi indiretti

The words *him, her, it, me, you, us* and *them* are pronouns. When you use one of these as the *object* of a sentence, it is called an *object pronoun*.

Noi la vediamo ogni giorno.

We see her every day.

Leo says that he hasn't done his homework:

Non l'ho fatto.

Emanuele asks if he can copy Giusy's homework:

Posso copiarlo?

Lo and **la** are direct object pronouns.

With verbs that are normally followed by **a**, you need to use a different kind of pronoun called an *indirect object pronoun*. For example, Melania suggests that Leo say to the teacher that he's not feeling well:

Perché non le dici che non ti senti bene?

A longer way of saying this would be:

Perché non dici a lei che non ti senti bene?

The verb **dire** requires **a**, so Melania replaces **a lei** with an indirect object pronoun **le**, meaning *to her*.

Here is a list of some of the verbs that are normally followed by **a**, and therefore require indirect object pronouns.

bastare a	to be enough for
chiedere a	to ask someone
credere a	to believe in
dare a	to give to
dire a	to say to; to tell
fare bene	to be good for
fare male a	to do harm to; to be harmful for
imprestare a	to lend to
insegnare a	to teach (someone) to
interessarsi a	to be interested in
parlare a	to speak to
piacere a	to be pleasing to
rassomigliare a	to resemble
rispondere a	to reply to
scrivere a	to write to
spiegare a	to explain to
stare bene a	to suit
telefonare a	to telephone

Indirect object pronouns are spelled the same as direct object pronouns, except in the third person:

		direct object pronouns		indirect object pronouns	
io	→	mi	me	mi	to/for me
tu	→	ti	you	ti	to/for you
lui	→	lo	him/it	gli	to/for him/it
lei	→	la	her/it	le	to/for her/it
Lei	→	La	*(polite)* you	Le	*(polite)* to you
noi	→	ci	us	ci	to/for us
voi	→	vi	you	vi	to/for you
loro	→	li; le	them	gli/loro	to/for them

You can use either **gli** or **loro** to say *them*. **Gli** is used both in speaking and in writing, and goes in front of the verb, while **loro** is used only in writing, and goes after the verb:

Gli telefono subito.
Telefono loro subito.

I will phone them straight away.

The past participle does *not* agree with indirect object pronouns, and you cannot change **le** to **l'** or **gli** to **gl'**.

Ci ha scritto una lettera.
Le hai dato un regalo?

> Domenica in Francia la 5ª gara delle moto

2 Primo, secondo, terzo...

This table of ordinal numbers from 1 to 10 may be helpful:

primo	1°	first	**sesto**	6°	sixth
secondo	2°	second	**settimo**	7°	seventh
terzo	3°	third	**ottavo**	8°	eighth
quarto	4°	fourth	**nono**	9°	ninth
quinto	5°	fifth	**decimo**	10°	tenth

Ordinal numbers can change to feminine and/or plural. They can be adjectives or nouns:

Ecco l'orario per la seconda media superiore.
Here's the timetable for the second-year class.
Ad ogni festa sono i primi a ballare.
At every party, they are the first ones to dance.

3 ⬤ Agli studenti la scuola piace molto!

When you say **mi piace la scuola**, you mean *I like school*, but what you are really saying is *school is pleasing to me*. **Piacere** is one of the verbs which require **a**. Therefore, **mi** is actually an indirect object pronoun:

La scuola piace a me. = Mi piace la scuola.
I like school.
La scuola piace a loro. = Gli piace la scuola.
They like school.

If you want to say *the students like school*, don't forget the **a**:

La scuola piace molto agli studenti.
OR, as in frame 3 of the story:
Agli studenti piace molto la scuola.

Look at these examples:
A Giusy piace l'inglese.
Giusy likes English.
Ai bambini piacciono le caramelle.
Children like sweets.

When Emanuele asks his friends **Vi piace l'idea di una partita di tennis?** he is using an indirect object pronoun. He could also say **A voi piace l'idea di una partita di tennis?**

Here is a table that may be helpful:

a me **piace**	mi **piace**	I like
a te **piace**	ti **piace**	you like
a lui **piace**	gli **piace**	he likes
a lei **piace**	le **piace**	she likes
a noi **piace**	ci **piace**	we like
a voi **piace**	vi **piace**	you like
a loro **piace**	gli **piace**	they like

4 ⬤ Imperativi negativi

You already know that when you ask or tell people to do something, you use the imperative:

Lava i piatti!
Pulisci la camera!
Alzatevi presto!
Leo, vergognati!

You can also tell them to *not* do something. Chiara and Giusy can't live without their mobile phones…and they love using them to tell people what not to do:

Non preoccuparti mamma!
Non pulire la mia camera, non toccare niente!
Non telefonarmi stasera!

Campagna contro il fumo
NON FARTI VINCERE DAL FUMO

Naturally, teachers love telling students what not to do, as well:

Non chiacchierate sempre!

Here is the way you form a negative imperative:

tu	**non** + infinitive form of verb	**Non parlare!**
voi	**non** + imperative verb	**Non parlate!**

5 ⬤ Imperativi con pronomi diretti e indiretti

You know that when you use a reflexive verb to tell someone what to do, the object pronoun is attached to the end of the verb. For example, when Emanuele tells Leo he ought to be ashamed of himself, he says:

Leo, vergognati!

When using positive imperatives, the object pronoun is also attached to the end of the verb.

When Chiara tells her friend to call her tomorrow, she says **Chiamami domani, va bene?**
When Leo tells Melania to keep the homework far away from him, he says **Tienilo lontano!**
The teacher tells Emanuele to read the book:
Leggilo!
Later Emanuele tells his classmate to pass the note, saying **Passalo a Chiara!**

When using pronouns with *negative* imperatives, the pronoun may either precede the verb, or be attached to the end of the verb:

tu	**Non preoccuparti!**
	Non ti preoccupare!
voi	**Non preoccupatevi!**
	Non vi preoccupate!

Notice how the final **-e** is dropped from the infinitive before the **-ti** is added to the end.

Ore 13:35...si esce!

Sono le dieci e cinquanta. Gli studenti hanno dieci minuti
di ricreazione e si radunano nel corridoio per
chiacchierare, per usare i servizi o per fare uno spuntino.
È contro il regolamento mangiare nelle aule. Leo e
Emanuele portano la tuta perché hanno appena finito la
lezione di educazione fisica.

2

> Andiamo a giocare a basket, Leo?

1

> Vado alla biblioteca, ho bisogno di un libro per il tema di filosofia che dobbiamo scrivere. Vieni?

> Ma che dici? Quale tema?

> Ho una fame da lupo, vado alla mensa a prendere qualcosa da mangiare.

La professoressa d'italiano è arrabbiata
perché Chiara e Emanuele parlano troppo nella sua classe.

> Sapete che oggi dopo scuola, il cinema club organizza un dibattito?

4

> Perché non mi crede, signora Bonanno? L'italiano mi interessa molto! Non sono svogliato, sono diligente!

> È vero, io parlo con Emanuele solo per spiegargli la lezione.

3

> No, che noia! Perché non venite da me? Ho comprato il nuovo disco di Jovanotti. È forte! Volete ascoltarlo?

> Volentieri! Subito dopo scuola?

> Mi dispiace ma ho una lezione nel pomeriggio.

> Bugiardi!

> Emanuele, fammi il piacere di ascoltare quando spiego la lezione, o ti mando dal preside.

Restano pochi minuti della ricreazione. Chiara legge
l'oroscopo di *Top Girl*, la sua rivista preferita.

5

> Io sono Acquario, dimmi quello che dicono di me.

> Dicono che sei molto amichevole e ambiziosa. Mela, tu sei Toro, secondo l'oroscopo sei molto generosa ma un po' pigra...questo sì che è vero!

Capitolo 1

Sono le dodici e venti. È la quinta lezione. Chiara e Melania lavorano nell'aula informatica.

6

> Ecco fatto! Quest'esercizio è stato facile...dammi quell'altro.

Ore 13:35...si esce dalla «galera»!

7

> Viola, Mela e Giusy vanno alla pizzeria. Io ci vado. Ci vai anche tu?

> No, mangio alla mensa perché alle 2 ho una lezione di tedesco.

> Ma dopo la lezione perché non vieni anche tu da Giusy?

8

> Mah, ci penso, ho tanti compiti da fare.

> Dai, meglio un asino vivo che un dottore morto!

> Va bene, a che ora andate da Giusy? Io qui finisco alle tre e un quarto.

> OK, verso le tre e mezza ti aspettiamo da Giusy. Non essere in ritardo come al solito.

9

> Non ti preoccupare!

> La lezione finisce alle tre e un quarto? Allora torno qui per incontrarla. Forse posso accompagnarla da Giusy.

Gli amici salutano i compagni, ridono e scherzano insieme. Sono contenti di avere un po' di tempo libero prima di fare i compiti.

> Ho una fame...

10

> Allora ci vediamo alla pizzeria, Leo.

> È bella, è in gamba...ma per lei sono un amico e basta. Forse quando torno possiamo parlare...ma che cosa posso dirle?

11

Impariamo le parole!

Nomi

Acquario	Aquarius
l'aula	classroom
la biblioteca	library
il bugiardo	liar
il corridoio	corridor
il dibattito	debate
la galera	jail
la mensa	cafeteria
l'oroscopo	horoscope
il/la preside	school principal
il regolamento	school rule(s)
i servizi	facilities *(toilet)*
lo spuntino	snack
il tema	essay
Toro	Taurus

Verbi

radunarsi	to gather together
restare	to remain/be left

Aggettivi

ambizioso	ambitious
amichevole	friendly
arrabbiato	angry
diligente	hardworking
in gamba	'cool'
quinto	fifth
svogliato	lazy

Espressioni utili

come al solito	as usual
ci penso	I'll think about it
ecco fatto!	finished!
meglio un asino vivo che un dottore morto	*equivalent to* 'all work and no play makes Jack a dull boy'

Domande

1 Che cosa fanno gli studenti durante la ricreazione?

2 Chiara quale scusa dà alla signora Bonanno per aver parlato durante la lezione?

3 Che cosa fanno Giusy ed Emanuele dopo scuola?

4 Chiara che cosa legge a Melania?

5 Gli studenti quale soprannome danno alla scuola?

6 Perché Chiara non accompagna gli altri alla pizzeria?

7 I compiti sono importanti secondo Emanuele?

8 Leo che cosa decide di fare dopo scuola?

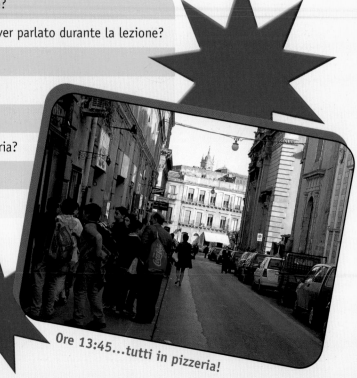

Ore 13:45...tutti in pizzeria!

In poche parole

Di che segno zodiacale sono questi ragazzi? Hanno le qualità-tipo del segno?

Di che segno sei?

Ariete 21 marzo - 20 aprile dinamico, aggressivo	**Cancro** 22 giugno - 22 luglio sincero, timido
Bilancia 24 settembre - 22 ottobre artistico, vanitoso	**Capricorno** 22 dicembre - 20 gennaio sicuro di sé, ostinato

Ariete
21 marzo - 20 aprile
dinamico, aggressivo

Cancro
22 giugno - 22 luglio
sincero, timido

Bilancia
24 settembre - 22 ottobre
artistico, vanitoso

Capricorno
22 dicembre - 20 gennaio
sicuro di sé, ostinato

Toro
21 aprile - 21 maggio
generoso, pigro

Leone
23 luglio - 23 agosto
vivace, egoista

Scorpione
23 ottobre - 22 novembre
forte, sarcastico

Acquario
21 gennaio - 19 febbraio
amichevole, ambizioso

Gemelli
22 maggio - 21 giugno
estroverso, capriccioso

Vergine
24 agosto - 23 settembre
ordinato, pessimista

Sagittario
23 novembre - 21 dicembre
ottimista, impulsivo

Pesci
20 febbraio - 20 marzo
comprensivo, introverso

Barbara: 11-10-84
Silvia: 11-10-84

Emilio: 30-8-84

Laura: 14-5-84

Livio: 26-2-85

Eva: 12-3-85

Pierpaolo: 29-12-83

1
A Di che segno è **Laura**?
B È nat**a** il **14 maggio**, è **Toro**.

2
A È vero che **Silvia e Barbara sono artistiche** e **vanitose**?
B No, non credo, **sono** piuttosto **estroverse**.
OPPURE
B Sì, e **sono** anche **scherzose**.

3
Now ask your partner the same questions about himself/herself.

Aggettivi utili

affidabile	trustworthy
arrogante	arrogant
impaziente	impatient
in gamba	'cool'
fedele	loyal
maturo	mature
modesto	modest

onesto	honest
originale	unusual
possessivo	possessive
riservato	reserved
scherzoso	playful
svogliato	unenthusiastic

A tu per tu ①

Four young Italians have created a website for their fellow students. On this page they introduce themselves. Use this information to conduct interviews with them/about them like the one shown here. You can ask the students about themselves directly: **Come ti chiami?** or ask about them: **Come si chiama?**

Come **si** chiam**a**?
Si chiam**a** **Leo Cagliero**.
Quale scuola frequent**a**?
È nella **seconda** media de**l** **liceo scientifico**.
Qual è la **sua** materia preferita?
Gli piace la storia.
Che cosa **gli** dicono i professori?

Gli dicono: «**Apri il libro!**» e «**Non dire stupidaggini!**»
Che cosa **gli** piace portare a scuola?
Non **può** fare a meno de**l** **suo orologio Tag Heuer**.
Che cosa **ha** fatto dopo scuola ieri?
Ha giocato una partita di pallavolo e poi **è andato al bar con gli amici**.

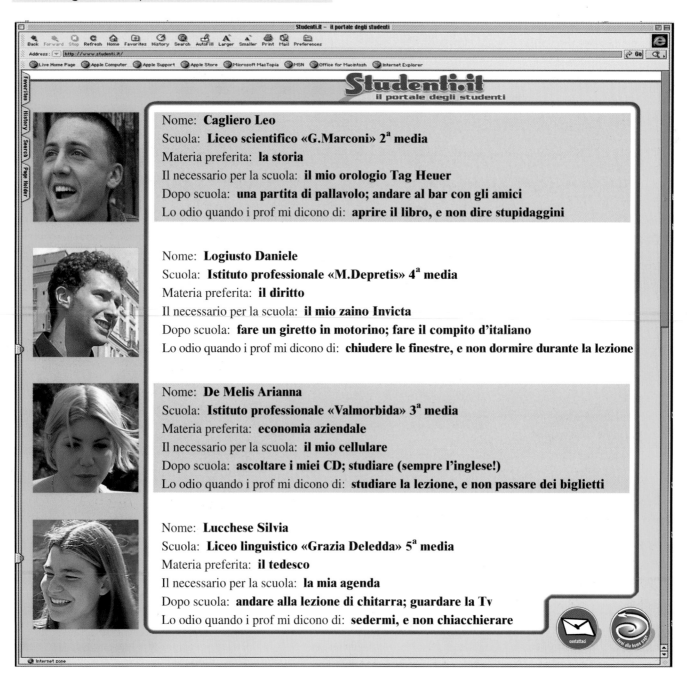

Nome: **Cagliero Leo**
Scuola: **Liceo scientifico «G.Marconi» 2ª media**
Materia preferita: **la storia**
Il necessario per la scuola: **il mio orologio Tag Heuer**
Dopo scuola: **una partita di pallavolo; andare al bar con gli amici**
Lo odio quando i prof mi dicono di: **aprire il libro, e non dire stupidaggini**

Nome: **Logiusto Daniele**
Scuola: **Istituto professionale «M.Depretis» 4ª media**
Materia preferita: **il diritto**
Il necessario per la scuola: **il mio zaino Invicta**
Dopo scuola: **fare un giretto in motorino; fare il compito d'italiano**
Lo odio quando i prof mi dicono di: **chiudere le finestre, e non dormire durante la lezione**

Nome: **De Melis Arianna**
Scuola: **Istituto professionale «Valmorbida» 3ª media**
Materia preferita: **economia aziendale**
Il necessario per la scuola: **il mio cellulare**
Dopo scuola: **ascoltare i miei CD; studiare (sempre l'inglese!)**
Lo odio quando i prof mi dicono di: **studiare la lezione, e non passare dei biglietti**

Nome: **Lucchese Silvia**
Scuola: **Liceo linguistico «Grazia Deledda» 5ª media**
Materia preferita: **il tedesco**
Il necessario per la scuola: **la mia agenda**
Dopo scuola: **andare alla lezione di chitarra; guardare la Tv**
Lo odio quando i prof mi dicono di: **sedermi, e non chiacchierare**

Studiamo la lingua! ②

1 Voglio spiegargli la lezione

In the photo-story, Chiara says to the teacher that she only speaks to Emanuele to explain the lesson to him:

> **Signora, io parlo con Emanuele solo per spiegargli la lezione.**

Chiara uses an indirect object pronoun because the verb she is using is **spiegare a**. She is explaining **a lui**, and therefore uses **gli**.

With infinitive verbs, you can place the indirect object pronoun in one of two positions:

> **Devo spiegargli tutto.** (attached to end of the infinitive minus final **-e**)
> OR
> **Gli devo spiegare tutto.** (placed before both verbs)

2 Imperativi di nuovo

Some **tu** forms in the imperative have become a little abbreviated in speech. You use an apostrophe to show where the final letter or syllable has been dropped:

andare	va'	(You) go!	**Va' a dormire!**
dare	da'	(You) give!	**Da' quel libro a tuo fratello!**
dire	di'	(You) tell!	**Di' sempre la verità.**
fare	fa'	(You) do!	**Fa' presto!**
stare	sta'	(You) stay!	**Sta' qui mentre vado al bar.**

When **mi**, **ti**, **lo**, **la**, **le**, **ci**, **vi**, **li**, **le**, and **ne** are used with these imperative forms, the first letter of the pronoun is doubled before being added to the end of the verb. Here's what was said in the photo-story:

> **Fammi il piacere di ascoltare.**
> Do me the favor of listening.
> **Dimmi quello che dicono di me.**
> Tell me what they say about me.
> **Dammi quell'altro.**
> Give me that other one.

Here are some other examples:

> **Vacci domani.** Go there tomorrow.
> **Fallo subito!** Do it immediately!
> **Dille che non veniamo stasera.**
> Tell her that we aren't coming this evening.

3 Quello che...

Giusy wants to know what the magazine horoscope says about Aquarius:

> **Dimmi quello che dicono di me.**

When you want to ask *what?* in a question, you say **che?**, **cosa?** or **che cosa?** But if you are using *what* in a statement, you must say **quello che** or **ciò che**.

4 Ci e ne di nuovo

Remember that **ci** is used to refer back to a place you have just mentioned. Look at these examples from the photo-story:

> **Non ci posso andare.**
> **Ci vai anche tu?**

Ci can also mean *about it* in some expressions:

> **Cosa ci posso fare?**
> What can I do (about it)? OR I can't help it.

Ci and **ne** are both used with **pensare** to mean *think about it*. But be careful which one you choose!

> **pensare a qualcosa/qualcuno**
> = to think of/about it = use **ci**
> **Uscire? Ci penso, ho tanti compiti da fare.**
> Go out? I'll think *about it*, I've got a lot of homework to do.

> **pensare di qualcosa**
> = to have an opinion about it = use **ne**
> **Quel nuovo film? Che ne pensi?**
> That new film? What do you think *of it*?

With most verbs other than **pensare**, you use **ne** to mean *about it/them*. Look at how Emanuele uses **ne** in the first photo-story:

> **Ma non me ne parlare!**
> Don't talk to me about it!
> **Che ne dite?**
> What do you say (about this suggestion)?

A lingua sciolta! 1

Cercasi famiglia!

Four exchange students from around the world are looking for the ideal host family in Italy. You and your partner will help match each student to the most appropriate family. Your teacher will give you some information from the **Teacher's Electronic Resource** about the students, and will give your partner some information about the families. There are four potential host families: **la famiglia De Amicis**, **la famiglia Cardamone**, **la famiglia Benich**, **la famiglia Masini**.

Ask your partner questions about the families, so that you can choose a suitable family for your students. Your partner can ask questions about the students as well.

Here is an example of how you could go about matching a student to a family:

Ho uno studente dalla Norvegia che vuole abitare nell'Italia meridionale o centrale, in una città non troppo grande.

Perfetto! Rune è di Norvegia, ma non gli piace il freddo. Non vuole vivere con una famiglia numerosa. Vuole al massimo due fratelli o sorelle.

Forse non è la famiglia ideale per Rune.

OK, quale scuola frequenta?

Hmm, vuole studiare l'arte e la musica, ma anche la matematica.

OK, va bene...adesso parliamo degli interessi. A Rune piace la musica, leggere, andare al cinema e cucinare.

Beh, a Rune non piace il calcio, ma forse gli piace il basket. È entusiasta ed amichevole...forse gli piacciono anche gli animali!

Allora non vanno bene la famiglia Benich o la famiglia Masini. La famiglia De Amicis abita a L'Aquila, e i Cardamone vivono a Catania.

Beh, nella famiglia De Amicis ci sono tre ragazzi.

Non preoccuparti, nella famiglia Cardamone c'è solo un figlio.

Studia al liceo artistico. Che cosa vuole studiare il tuo studente?

Non è un problema, si può studiare la mate anche al liceo artistico.

Beh, il figlio Cardamone ama leggere anche lui, e la madre è professoressa. Il padre è musicista. Al figlio piacciono anche gli animali, e giocare a basket. Va bene così?

Perfetto, allora lo studente norvegese va ad abitare con la famiglia Cardamone.

Capitolo 1

A lingua sciolta! 2

Un sondaggio sulla scuola

With a partner, or in a group, choose one of these questions and use it to conduct a survey of your classmates. Record and summarize their answers, and present your findings to the class.

You may like to show diagrams and/or tables summarizing the survey responses.

- Quali materie ti piacciono e perché?
- Quali sono i regolamenti della scuola che non ti piacciono?
- Porti una divisa? Ti piace?
- Le strutture della scuola sono adeguate, secondo te?
- Che cosa fai durante la ricreazione e l'ora di pranzo?
- Quali sono le attività extrascolastiche ideali?
- Quale orario preferisci: quello italiano o quello australiano?
- Che cosa fai dopo scuola?
- Quali attività interessanti organizza la scuola?

Il venti per cento degli studenti dice che il regolamento che gli piace di meno è che non possiamo stare nei corridoi durante l'ora di pranzo. Secondo gli studenti che abbiamo intervistato, non è giusto, perché anche quando piove o fa freddo dobbiamo stare fuori, e non ci sono molti spazi coperti.

Alla maggioranza di studenti non piace il regolamento che solo quelli dell'anno dodici possono andare al negozio durante l'ora di pranzo. Anche noi della quarta media siamo maturi. Gli studenti intervistati dicono: <<Perché gli insegnanti non hanno fiducia in noi?>>

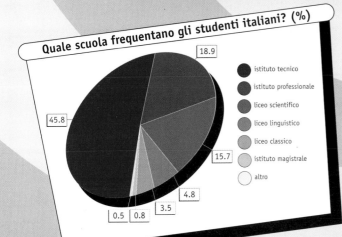

Quale scuola frequentano gli studenti italiani? (%)

- istituto tecnico
- istituto professionale
- liceo scientifico
- liceo linguistico
- liceo classico
- istituto magistrale
- altro

18.9 — 45.8 — 15.7 — 4.8 — 3.5 — 0.5 — 0.8

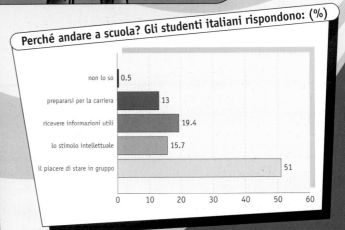

Perché andare a scuola? Gli studenti italiani rispondono: (%)

non lo so	0.5
prepararsi per la carriera	13
ricevere informazioni utili	19.4
lo stimolo intellettuale	15.7
il piacere di stare in gruppo	51

Leo e Giusy presentano:

Un giro di Caltagirone

Caltagirone ha una storia interessante. Il nome viene dall'arabo <<Qal'at Al Ghiran>>. Vuol dire <<collina dei vasi>>. Voi sapete che per 300 anni, la Sicilia era una colonia araba? Caltagirone è stata occupata dai greci, dai romani, dagli arabi, dai normanni, dagli spagnoli...che confusione! Ci sono tante parole arabe nel nostro dialetto, e tanti nostri piatti tradizionali sono di origine araba.

Ora basta con la storia! Sapete che ogni anno circa 29 000 turisti visitano Caltagirone? È un paese famoso per le ceramiche. Gli artisti usano dei metodi antichissimi per crearle. È una tradizione di 4000 anni! Incredibile, no?

Ecco la Scala SS. Maria del Monte, che ha 142 gradini, tutti decorati con mattonelle coloratissime. Il 24 e il 25 luglio, durante la sagra di San Giacomo, la scala è illuminata con dei lumi a olio.

Le ceramiche si trovano anche nelle piazze, lungo le strade, nei bar...non dimentichiamo i bar! (E nei cinema, nello stadio, nei caffé...) Caltagirone è un paese storico, ma anche divertente per noi giovani.

il dialetto	dialect, regional language
il gradino	step
illuminato	lit up, illuminated
il lume (a olio)	(oil) light
la mattonella	tile
la sagra	festival
il vaso	pot; vase

Vero o falso?

	vero	falso
Il nome <<Caltagirone>> è di origine spagnola.	☐	☐
Diverse culture hanno avuto un influsso su Caltagirone.	☐	☐
Questo paese si trova all'ovest della Sicilia.	☐	☐
Da quattro secoli gli artigiani producono delle ceramiche a Caltagirone.	☐	☐

Più sani di così non si può!

You'll learn how to:

■ welcome guests to your house

■ talk about what people used to do and like

■ describe how people were, and what the circumstances were

■ compare your childhood habits to your current ones

■ talk about how to have a fit and healthy lifestyle

■ explain which foods you prefer and why

■ interview an Italian-speaker about their childhood

■ present a summary of the interview to your class

■ advertize a new gym or sports centre

You'll find out about:

■ different attitudes to health and fitness

■ working out at an Italian gym

Che brave che eravamo!

Melania ha invitato Giusy e Chiara per la prima volta a casa sua per cena.

Scusa per il ritardo.

Non importa, sono appena tornata dalla palestra. Ho una fame da lupo dopo un'ora di circuito aerobico.

Piantala! Non parlare sempre di esercizio! Voglio mangiare in pace!

Metto la vostra roba in camera mia. Su, non fate complimenti, accomodatevi! Volete qualcosa da bere?

Forse un chinotto, grazie.

Le ragazze si siedono e cominciano a sfogliare un album di fotografie che trovano sul tavolino.

Che imbarazzo! Quelle vecchie foto! Mamma vuole sempre mostrarle a tutti. Da bambina ero così buffa.

Ma ci piacciono le vecchie foto. Siediti, e faccele vedere.

In questa foto gioco con la mia sorellina Adriana. Avevo sette anni. Giocavamo sempre con quella palla. Come mi piaceva giocare a calcio!

Ma non sei cambiata per niente! Da bambina ti piaceva il calcio e adesso ti piacciono i giocatori!

Uh che bella posa! Dov'eri, Mela?

Alla spiaggia a Taormina. Ci andavamo sempre per le vacanze. Nuotavamo, leggevamo i fumetti, mangiavamo gelati, dormivamo tutta la mattina. Il sole brillava tutto il giorno.

Ma sì che è cambiata. Prima giocava con la sorella, adesso preferisce la palestra e la discoteca.

Quando eravamo bambine spensierate...quella sì che era la dolce vita!

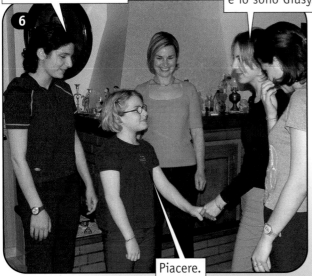

Vi presento mia sorella Adriana, e nostra mamma Adele.

Piacere, Adriana, e io sono Giusy.

Piacere.

Alla signora Adele piacciono le vecchie foto.

Eccola al suo dodicesimo compleanno. Che brava figlia che era! Portava dei bei vestiti invece di quei jeans. Melania, tu mangiavi il buon cibo casalingo, e non quel fast-food di oggi. Tu e Adriana ascoltavate sempre i miei consigli...

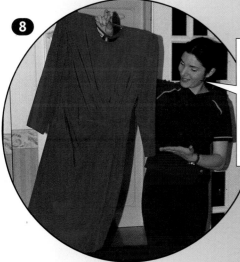

Dunque, mamma, i bei tempi del passato, erano davvero migliori? Guarda questo vestito orrendo che portavi!

Anche tu eri più brava allora, mamma. Ma non ti vestivi bene, e adesso mostro il tuo brutto segreto a tutti...

Hmmm, secondo me è ancora elegante. Se ti piace, Mela, lo regalo a te.

Neanche per sogno, mamma. Regalami invece una nuova tuta da palestra.

Prima di mangiare, le ragazze chiacchierano un po' nella camera di Melania. Melania è una patita del fitness, e Giusy tiene molto a mangiare sano. A loro piace sfogliare la rivista *Starbene*.

«La ginnastica facile», «Più energia»...mmm, interessante. «Perdi una taglia senza cucinare»...che ridicolo! Significa «senza mangiare».

Hai ragione. Funzionano davvero queste diete? È una mania! Meglio pensare al fitness e non al dimagrire.

A tavola.

Ecco un bel pezzo.

No grazie, signora Adele, non mangio la carne. Sono vegetariana.

Ma la carne, in moderazione, ti fa bene!

Pensano sempre alla salute...mi fanno impazzire!

Preferisco quest'insalata deliziosa.

Ma a noi piace una bella bistecca, vero, Mela?

E da bere? Limonata?

Finito il secondo piatto, è ora del dolce...

Mmm, che torta squisita!

Ma questa settimana ho già mangiato tanti dolci. Non voglio esagerare. Questa volta prendo solo un po' di frutta. Più sano di così non si può!

Che noiosa!

No grazie, non bevo mai le bevande gassate. Preferisco l'acqua, fa bene alla salute. Oggigiorno mangiamo troppa roba sofisticata. Prima gli italiani mangiavano cibo molto più genuino.

Finita la cena, finite le prediche sul mangiare bene!

Impariamo le parole!

Nomi

la bevanda gassata	soft *(fizzy)* drink
il chinotto	Italian citrus-flavored cola-style drink
il cibo	food
il consiglio	advice
la cucina	cuisine; cooking
la dieta	diet
la dolce vita	the good life
l'età	age
la mania	obsession
la moderazione	moderation
la pace	peace
il patito	fanatic
la posa	pose
la predica	sermon; lecture
la salute	health
la specialità	special dish
la taglia	clothing size
il tavolino	coffee table

Aggettivi

buffo	funny, comical
carino	cute
casalingo	home-style
davvero	truly
genuino	natural, unprocessed
orrendo	horrible
ridicolo	ridiculous

sano	healthy
sofisticato	full of additives *(food)*
spensierato	carefree
squisito	delicious, exquisite

Verbi

dimagrire	to lose weight
fare impazzire	to drive crazy
funzionare	to work, to function
mostrare	to show
presentare	to introduce
regalare	to give as a gift
sfogliare	to leaf through *(a book)*
tenere molto a...	to attach great importance to *(a person, thing)*

Avverbi

appena	just; hardly
oggigiorno	nowadays

Espressioni e parole utili

di niente	you're welcome
dunque	now then
faccele vedere	show them to us
neanche per sogno!	no way!
non fate complimenti!	make yourself at home
piacere	it's a pleasure
piantala!	stop it!
più sano di così non si può!	you can't get healthier than this
quindi	therefore

Domande

1. Perché ha fame Melania?

2. Che cosa fanno le ragazze mentre Melania è occupata?

3. Da bambina cosa piaceva a Melania?

4. Melania è cambiata da quando era bambina?

5. Descrivi le vacanze di Melania a Taormina.

6. Perché Melania era una brava figlia?

7. Per fare vendetta alla mamma, che cosa mostra Melania alle amiche?

8. Secondo Melania e Giusy, che cosa è più importante delle diete?

9. Perché è noiosa Giusy a tavola?

10. Perché Giusy non mangia il dessert?

In poche parole

I tuoi amici ti mostrano le loro vecchie foto. Come erano, da bambini?

1
A	**Giorgio, Tullio e Sara**, quanti anni **avevate**?
B	**Avevamo dieci** anni.

2
A	**Violetta** quanti anni **aveva**?
B	**Aveva dieci** anni.

Capitolo 2

Giorgio, Tullio, Sara
10 anni
In montagna!
Che allegri!

Ambra 4 anni
Forza! A tutto gas!
Che spiritosa!

Violetta
10 anni
In piscina!
Che scherzosa!

Bastian, Astrid, Laura
7 anni
Mmm, gelato al limone!
Che golosi!

Massimo
12 anni
In campo!
Che sportivo!

Neria
9 anni
Una musicista
in gamba
Che seria!

Paoletta
6 anni
La bambola preferita
Che capricciosa!

Nicola, Ugo
7 anni
Una domenica tranquilla
Che carini!

3
A	**Paoletta**, da bambin**a** come er**i**?
B	Er**o** molto **capricciosa**.

4
A	A **Massimo** cosa piaceva fare?
B	**Gli** piaceva **giocare a calcio. Giocava** sempre **a calcio.**

5
A	**Nicola e Ugo**, cosa **vi** piaceva fare?
B	**Ci** piaceva **leggere. Leggevamo** sempre.

6 Now ask your partner how they were as a child, and what they liked to do.

In poche parole

2 Chiedi a questi ragazzi quello che piace a loro. Da bambini gli piaceva una cosa, da grandi gli piace un'altra!

 **Giusy**
 **Chiara**
 **Leo**
 **Melania**
 **Emanuele**

a 8 anni...

 guardare

 portare

 amare

 volere

 mangiare preferire

leggere

a 16 anni...

 volere

 amare

 leggere

 guardare

 mangiare preferire

 portare

---

1
A **Melania, mangi le banane?**
B Da bambin**a** **mangiavo le banane**, ma adesso **mangio gli hamburger.**

2
A **Leo e Emanuele, preferite le banane?**
B Da bambin**i** **preferivamo le banane**, ma adesso **preferiamo gli hamburger.**

3
A **Emanuele porta i pantaloncini?**
B Da bambin**o** **li portava**, ma adesso **porta i pantaloni.**

4
A **Giusy e Chiara, vi** piac**ciono le bambole?**
B Prima **ci** piacev**ano**, ma adesso non **possiamo** fare a meno del **cellulare.**

5 Now ask questions to find out whether your partner's tastes have changed since childhood.

25

Studiamo la lingua! ❶

❶ L'imperfetto (the imperfect)

Melania talks about the past using two different verb forms: the **passato prossimo** and the **imperfetto**. When she talks about an action she has completed in the past, she uses the **passato prossimo**:

> **Sono appena tornata dalla palestra.**

She has used the appropriate part of **essere** and the past participle of **tornare: tornata**.

When Melania talks about how she was and what she used to do, she uses the **imperfetto**:

> **Da bambina ero così buffa.**   As a child I was so funny.
> **Giocavamo sempre con quella palla.**   We always used to play with that ball.

Melania uses the **imperfetto** to show that the actions and situations she describes were *ongoing* or *habitual* or *repeated*. If a verb is in the **imperfetto**, for example **giocavo**, the English equivalent can be *I used to play, I was playing, I would play* or *I played*.

-ARE verbs	
parlare	
io parlavo	I was speaking
tu parlavi	you were speaking
lui/lei parlava	he/she was speaking
noi parlavamo	we were speaking
voi parlavate	you were speaking
loro parlavano	they were speaking

-ERE verbs	
leggere	
io leggevo	I was reading
tu leggevi	you were reading
lui/lei leggeva	he/she was reading
noi leggevamo	we were reading
voi leggevate	you were reading
loro leggevano	they were reading

-IRE verbs	
dormire	
io dormivo	I was sleeping
tu dormivi	you were sleeping
lui/lei dormiva	he/she was sleeping
noi dormivamo	we were sleeping
voi dormivate	you were sleeping
loro dormivano	they were sleeping

Qui Melania era appena di un anno, e suo padre aveva ventinove anni. Erano carini, no?

essere	
io ero	I was
tu eri	you were
lui/lei era	he/she were
noi eravamo	we were
voi eravate	you were
loro erano	they were

avere	
io avevo	I had
tu avevi	you had
lui/lei aveva	he/she had
noi avevamo	we had
voi avevate	you had
loro avevano	they had

You must be careful to pronounce the imperfect verbs correctly. The **noi** and **voi** forms have a different stress. In the tables above, the underlined vowel is the stressed one.

You use the **imperfetto**:

1 to talk about a past state or condition that was ongoing; for example the weather, the time, people's ages:

> **Il sole brillava tutto il giorno.**   The sun would shine all day.
> **Quando eravamo bambine...**   When we were little girls...
> **Avevo sette anni.**   I was seven.

2 to describe personality, and physical, mental and emotional states in the past:

Da bambina ero così buffa.   As a child I was so funny.
Gianni era alto, aveva gli occhi neri.   Gianni was tall and had black eyes.
Da bambina ti piaceva il calcio.   As a little girl, you used to like soccer.

3 to talk about a past action or situation that was habitual, or repeated over a period of time:

Prima gli italiani mangiavano cibo   Before, Italians used to eat far more natural and healthy food.
molto più genuino e salutare.
Portava dei bei vestiti invece di   She would wear lovely dresses instead of those jeans.
quei jeans.
Ci andavamo sempre per le vacanze.   We always used to go there on vacation.
Andava al cinema il martedì.   She went to the movies every Tuesday.

È così noiosa!

Prima gli italiani non mangiavano tanta carne. Preferivano le verdure.

2 Nuovi verbi irregolari

rimanere	to remain, stay
rimango	I remain
rimani	you remain
rimane	he/she remains
rimaniamo	we remain
rimanete	you remain
rimangono	they remain

bere	to drink
bevo	I drink
bevi	you drink
beve	he/she drinks
beviamo	we drink
bevete	you drink
bevono	they drink

3 Appena

When Melania has **only just** returned from the gym, she says:

Sono appena tornata dalla palestra.

Appena is an adverb which can mean:

a) only/just

È appena partito.
He only just left.
Silvia è appena sedicenne.
Silvia has just turned sixteen.

b) hardly; barely

Potevo appena sentire la sua voce.
I could hardly hear his voice.
Erano appena le otto.
It was barely eight o'clock.

As an adverb, **appena** follows the verb or the auxiliary. But if **appena** begins a sentence, it means *as soon as*:

Appena siamo entrati, il telefono ha suonato.
As soon as we got in, the phone rang.

Chiara e Leo vanno alla palestra

Leo e Chiara si rilassano al parco.
Leggono *Musica Tutto*.

1

Vorrei avere dei muscoli come i suoi. Forse Chiara preferisce i ragazzi tonificati, muscolosi...

Wow, che bello quel cantante dei Backstreet Boys, che fisico bestiale.

2

Chiara, anch'io voglio migliorare la forma. Perché non andiamo in palestra? Possiamo allenarci insieme! Melania può aiutarci.

E quella cantante Alexia: che schianto! Vorrei essere in forma come lei, ma come fare?

3

Il giorno dopo, Melania porta Chiara e Leo alla palestra. L'Antares Club offre molti servizi per le persone che vogliono tonificarsi e mantenersi in forma. Ha tre sale con tanti attrezzi moderni. Melania è andata a alcune lezioni di aerobica qui, e le sono piaciute molto.

4

Hmmm, oggi facciamo un'ora e mezza nella palestra di bodybuilding. Prima di tutto, venti minuti sul tapis roulant.

Antares Club Orario

Palestra di bodybuilding

Da lunedì a venerdì   10:00–22:30
Istruttore lun. a ven.   13:00–14:00 e 17:30–20:30

Idromassaggio

mer. a ven. 16:30–20:00

Sala fitness

	10:00	11:00	12:00	14:30	16:30	17:30	18:30
Lunedì	ginnastica dolce	stretching	body sculpt	total body workout	circuito aerobica	boxercise	spinning
Martedì	ginnastica dolce	cardio fitness	step	spinning	funky aerobica	circuito aerobico	danza latino-americana

Non ti sembra un po' faticoso? Ricordati che sono solo una principiante!

Melania e il signor Alessandrini, il direttore dell'Antares Club, preparano un programma per Chiara, ma dopo dieci minuti...

5

Che fatica! Questo tapis roulant è troppo veloce. Posso rallentare?

Forza! Se vuoi diventare come me, devi allenarti in palestra ogni giorno!

È già alla minima. Avanti, qualche minuto in più e basta. Poi facciamo quindici minuti sulla cyclette, quindici minuti sullo step, poi alcuni esercizi con i pesi liberi...

6

Ehi, vai troppo piano! Forza! Io ho appena fatto mezz'ora con il bilanciere e con i pesi liberi.

Tu usi pesi di solo venti chili. Io sono alta un metro e sessantadue e peso cinquantatré chili, e qui sollevo quaranta chili!

Non ce la faccio più!

Wow, sei Superwoman! Che carica incredibile!

Voglio controllare il tuo polso...hmmm, è troppo accelerato. Sei di peso medio, ma la tua forma non è molto buona. Dai, qualche minuto di più su quel vogatore. Devi sudare, non riposare! Niente dolore, niente risultati!

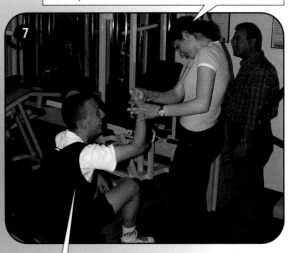

7

Non fare la schiavista!

Melania ha finito il suo programma. È andata allo spogliatoio per farsi la doccia.

8

Sono distrutta! Forse invece della palestra devo fare lo yoga o il nuoto, o forse un bel pisolino!

9

Dai, andiamo prima che Mela torni! Non ce la faccio più!

D'accordo, sono stanco e ho sete. Andiamo al bar!

Mezz'ora dopo...

Non so se la palestra fa per me. Tutto quel sudore, tutto quel dolore.

Tanto, alle ragazze non piacciono gli uomini troppo muscolosi. Posso provare quella brioche?

Ehi, ma cosa fate qui? Perché non siete in palestra? Non vi è piaciuta?

E quei dolci che mangiate? Avete dimenticato il fitness?

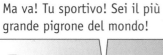

Non avete la grinta per diventare sportivi come me.

Ma va! Tu sportivo! Sei il più grande pigrone del mondo!

Che dici? Io faccio molto esercizio fisico: devo sollevare il telecomando per cambiare canale; vado al bar a piedi...

Dì la verità, Leo, preferisci la dolce vita! Non vuoi più essere Mister Universo, vero?

No, adesso preferisco allenarmi come Emanuele, con il telecomando!

Domande

1 Perché Leo e Chiara decidono di andare in palestra?

2 Come si chiamano le tre sale della palestra Antares?

3 Quali esercizi sceglie Melania per Chiara?

4 Quali attrezzi usa Leo?

5 Quando comincia a stancarsi Chiara?

6 Quando scappano al bar Chiara e Leo?

7 Chiara vuole tornare in palestra?

8 È sportivo Emanuele?

Impariamo le parole!

Nomi

il/la cantante	singer
la dolce vita	the good life
la carica	drive; energy
il dolore	pain
l'esercizio fisico	physical exercise
il fitness	exercises/sports undertaken to keep fit
il fisico	physique
la forma	fitness
la grinta	drive, determination
il pigrone	very lazy person
il pisolino	nap
il polso	pulse; wrist
il/la principiante	beginner
lo/la schiavista	slave-driver
il servizio	service
il sudore	sweat
il telecomando	remote control

In palestra

l'attrezzo	equipment; machine
il bilanciere	bar bell
la cyclette	exercise bike
i pesi liberi	weights
lo spogliatoio	change room
il tapis roulant	treadmill
il vogatore	rowing machine

Aggettivi

accelerato	quickened
bestiale	amazing (sl)
faticoso	tiring
muscoloso	muscled
qualche	some, a few
tonificato	toned

Verbi

allenarsi	to train, work out
mantenersi in forma	to keep fit
migliorare	to improve
rallentare	to slow down
rilassarsi	to relax
sudare	to sweat
tonificarsi	to tone up

Espressioni e parole utili

alla minima	at the lowest (speed)
che fatica!	what hard work!
che schianto!	what a knockout!
come fare?	what to do?
d'accordo	I agree
fa per me	is right for me
niente dolore, niente risultati!	no pain, no gain!
non ce la faccio più!	I can't take any more!
sono distrutto!	I'm exhausted!
tanto	in any case

Quali sport praticano i giovani italiani?

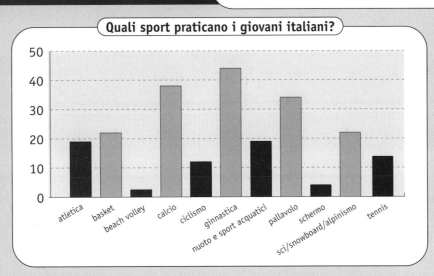

In poche parole

3 Tu vuoi mangiare sano, così vai al ristorante vegetariano. Leggi il menù e suggerisci dei piatti al tuo compagno di classe.

ristorante vegetariano

SAMSARA
Le nostre specialità per oggi

melenzane alla griglia
insalata mista
spinaci alla greca
minestrone pugliese
spaghetti alla Norma
risotto giallo
frittata spagnola
ravioli alla zucca

1
| A | Perché non provi que**gli spinaci alla greca**? |
| B | **Li** ho già provat**i** ma non mi **sono** piaciut**i**. |

2
| A | Che be**gli spinaci alla greca**! |
| B | Hmmm, prima **li** mangiavo ma adesso non mi piac**ciono** più. |

In poche parole

4 Vuoi migliorare la forma. Chiedi a queste persone quello che hanno fatto per migliorare la loro forma.

una lezione di

un corso di

un giro in

Gisella
cm 160
kg 50

signora Fini
cm 164
kg 59

signor Alessandrini
cm 153
kg 80

un'ora di

un esercizio con

un esercizio con

1
| A | **Gisella**, quanto **sei** alta? |
| B | Sono alt**a** un metro e **sessanta**. |

2
| A | E quanto pes**i**? |
| B | Peso **cinquanta** chili. |

3
A	**Signora Fini**, che cosa **ha** fatto per migliorare la forma?
B	Ho fatto alcun**i esercizi con gli attrezzi in palestra**.
	OPPURE
B	Ho fatto qualche **esercizio con gli attrezzi in palestra**.
A	E que**gli esercizi**…er**ano** difficili?
B	Prima sì, ma poi **sono diventati** facili.

A tu per tu

Leggi al tuo compagno di classe le domande e le risposte opzionali del test. Segna le sue scelte e digli il voto che ha ricevuto.

Test: sei in forma??

1 *Dove vai per comprare qualcosa da mangiare?*

    a. dal fruttivendolo
    b. alla paninoteca
    c. in pizzeria
    d. al fast-food

2 *Quando mangi del fast-food?*

    a. mai, che schifo!
    b. qualche volta al mese
    c. qualche volta la settimana
    d. ogni giorno

3 *Che cosa preferisci bere?*

    a. l'acqua
    b. il succo d'arancia
    c. il caffé
    d. le bevande gassate

4 *Quando vedi una porzione di patatine, pensi:*

    a. le patatine hanno troppo grasso; meglio comprare una banana
    b. le mangio, ma poi mezz'ora extra in palestra!
    c. gnam!
    d. questa porzione è così piccola; meglio comprarne due!

5 *Che cosa preferisci fare quando hai un po' di tempo libero?*

    a. fare una passeggiata
    b. andare alla sala giochi
    c. parlare al telefono
    d. dormire

6 *Quando sei con amici, che cosa vi piace fare?*

    a. facciamo una partita...di basket, di calcio, di tennis...
    b. facciamo una passeggiata in centro
    c. ci sediamo e chiacchieriamo
    d. ci divertiamo con i videogiochi e con l'Internet

7 *Quale attività preferisci?*

    a. allenarti in palestra
    b. ballare
    c. fare dello shopping
    d. guardare lo sport alla Tv

8 *Nella tua vita sportiva, non puoi fare a meno...*

    a. della cyclette
    b. delle scarpe sportive
    c. della tuta firmata
    d. del telecomando

9 *Per te, la ginnastica dolce è:*

    a. un ottimo warm-up prima di due ore di palestra
    b. un'attività molto facile per mantenersi in forma
    c. troppo difficile...sei solo un principiante!
    d. una passeggiata in giro alle tue pasticcerie preferite

10 *Hai molto stress nella tua vita?*

    a. no, perché ho molta energia. La mia forma mi aiuta a combattere lo stress
    b. sì, ma trovo un po' di tempo ogni giorno per rilassarmi
    c. sì, ho sempre troppi compiti
    d. sì, non posso mai decidere quale pizza comprare

Maggioranza di risposte A: Più sani di così non si può!

Maggioranza di risposte B: Auguri, sei in forma, ma senza esagerare.

Maggioranza di risposte C: Vorresti essere in forma, ma a volte sei un po' pigro.

Maggioranza di risposte D: Ami troppo la dolce vita, e non pensi mai alla salute.

Your partner needs more details about what they should do to become fit without overdoing it. Use the vocabulary in this chapter to make suggestions for a healthier lifestyle.

A lingua sciolta! 1

Un'intervista: ricordi d'infanzia

Ask an Italian speaker some questions about their childhood. You should prepare at least ten questions to ask. Keep in mind whether you should use **tu** or **Lei** when speaking to this person. You can record the interview so that your teacher can listen to it. Use the recording to create a summary of the interviewee's childhood memories, and present it to the class.

Da bambina, abitava in città o in campagna?

Vivevo in un paese molto piccolo, che aveva solo cinquecento abitanti. Mio padre aveva una fattoria vicino al paese...

Come giocava?

Mi piaceva giocare con il cane, e con le amiche giocavamo a nascondiglio. D'inverno, a casa, giocavo con le bambole, o a carte con le mie sorelle.

La signora Bertone abitava a Margona, un paese piccolissimo. Suo padre era agricoltore...

Quando non aiutava la madre, le piaceva giocare con le amiche e le sorelle. Giocava a nascondiglio, a carte, e con le bambole.

A lingua sciolta! 2

Pubblicità alla radio

A great new gym or sports center has opened in your neighborhood. Prepare and present the script for a radio advertisement about this club.

This advertisement and these notices may help you come up with ideas for your own ad:

Iscrizioni	
€62	2 mesi
€85	3 mesi
€103	4 mesi
€144,60	6 mesi
€278,90	12 mesi

nuovi corsi per quest'anno:
- circuito cardiofitness
- Jeet Kune Do
- karate bambini
- acquagym

3 massaggi omaggio con ogni iscrizione a due corsi!!

Sconto promozionale per il mese di luglio:
entrata gratuita in solarium/ sauna/
idromassaggio con ogni 5 lezioni di aerobica

CATANIA CLUB
la mega palestra all'aperto
il centro sportivo per tutti i gusti

- campo di calcio a 5 in erba sintetica
- campo da tennis
- piscina 25m per nuoto e acquagym
- bocciodromo
- basket
- ballo latino-americano
- palestra fitness con attrezzi per il bodybuilding, circuito cardiofitness e pesi liberi
- istruttori specializzati
- spogliatoi, bar, noleggio

Orario di apertura:
9:00 – 23:00

per informazioni
tel. 06-3210533

Il fitness a portata di mano, insieme a gente della stessa età. Nuovi amici, forma migliore e divertimento garantiti!

Studiamo la lingua! **2**

1 Quello

Quello can be used as an adjective meaning *that* or *those*. When it is placed in front of the noun, it has different forms depending on the noun:

In front of...	masculine		feminine	
	singular	*plural*	*singular*	*plural*
...noun beginning with a consonant	**quel** libro	**quei** libri	**quella** casa	**quelle** case
...noun beginning with z, ps, gn or s followed by a consonant	**quello** studente	**quegli** studenti	**quella** zia	**quelle** zie
...noun beginning with a vowel	**quell'**albero	**quegli** alberi	**quell'**attrice	**quelle** attrici

Here are some examples from the photo-stories:

> **Giocavamo sempre con quella palla.**   We always used to play with that ball.
> **Che bello quel cantante dei Backstreet Boys.**   That singer from the Backstreet Boys is so good-looking.
> **E quei dolci che mangiate?**   And what about those sweets that you're eating?

Quello can also be used as a pronoun, meaning *that* (*one*) or *those* (*ones*). In this case, it only has four forms, **quello**, **quella**, **quelli** and **quelle**:

> **Prendo quello.** *(il libro)*   I'll take that one. *(book)*
> **Quelli non sono costosi.** *(i jeans)*   Those aren't expensive. *(jeans)*
> **Quella era la dolce vita!**   That was the good life!
> **Le vacanze? Quelle dell'infanzia erano più divertenti.**   Holidays? Our childhood ones were more enjoyable.

2 Bello

Italians love using **bello**: it is their favorite adjective! **Bello** has different forms, depending on whether it comes before or after the noun it describes. If it comes *before* the noun, it has the same endings as **quello**:

In front of...	masculine		feminine	
	singular	*plural*	*singular*	*plural*
...noun beginning with a consonant	**bel** libro	**bei** libri	**bella** casa	**belle** case
...noun beginning with z, ps, gn or s followed by a consonant	**bello** studente	**begli** studenti	**bella** zia	**belle** zie
...noun beginning with a vowel	**bell'**albero	**begli** alberi	**bell'**attrice	**belle** attrici

When signora Adele reminisces about Melania's childhood she says:

> **Portava dei bei vestiti invece di quei jeans.**   She used to wear some lovely dresses instead of those jeans.

When **bello** comes after the noun, it has only four forms:

masculine		feminine	
singular	*plural*	*singular*	*plural*
vestito **bello**	vestiti **belli**	trattoria **bella**	trattorie **belle**

3 Mi piaceva...non vi è piaciuta?

When you talk about the things you *liked*, you need to decide whether you use **piacere** in the **passato prossimo** or in the **imperfetto**. When Melania talks about how she used to like playing soccer, she says:

Come mi piaceva giocare a calcio.
How I loved playing soccer.

Melania liked playing soccer throughout her childhood, so she uses the **imperfetto** to express this ongoing liking.

Later, the group talks about the gym experiences that they liked and disliked:

Melania ha fatto alcune lezioni di aerobica qui, e le sono piaciute molto.
Melania did some aerobics classes here, and she liked them very much.

Perché non siete in palestra? Non vi è piaciuta?
Why aren't you at the gym? Didn't you like it?

Here they use the **passato prossimo** because they think of these as completed experiences. The **passato prossimo** of **piacere** is formed with parts of **essere** and the past participle **piaciuto**. **Piaciuto** changes depending on whether the thing/person liked is masculine or feminine, singular or plural.

The most common forms we use are:

The thing liked is:	masculine	feminine
singular	**è piaciuto** **Quel concerto ci è piaciuto.** We liked that concert.	**è piaciuta** **Quella canzone gli è piaciuta.** He liked that song.
plural	**sono piaciuti** **Quei film ti sono piaciuti?** Did you like those films?	**sono piaciute** **A Giusy sono piaciute le riviste.** Giusy liked the magazines.

4 Le dimensioni

Italians use the metric system for all their weights and measurements. The base unit of height is **un metro** and of weight **un chilogrammo (un chilo)**. When talking about height, weight, size and depth, you use a different word order from the one you would use in English:

Quanto sei alto?	**Sono alto un metro e sessantotto.**
Quanto sei alta?	**Sono alta un metro e sessantotto.**
How *tall* are you?	I'm 168 centimeters *tall*.
Quanto pesi?	**Peso cinquantacinque chili.**
Quanto pesano?	**Pesano cinquantacinque chili.**
How much do you/ they *weigh*?	I/they *weigh* 55 kilos.

Sono di media altezza.
I'm of average *height*.
Siete di peso medio.
You are of average *weight*.

5 Alcuni, qualche

Melania doesn't want to frighten Chiara and Leo: she prefers to say *some* and *a few* rather than *lots* of exercise!

Avanti, qualche minuto in più e basta.
Come on, a few minutes more and that's it.
alcuni esercizi con i pesi liberi
some exercises with free weights
alcune lezioni di aerobica
some aerobics classes

Qualche, **alcuni** and **alcune** all mean *some* or *a few*. If you use **qualche**, the noun must be singular (but the meaning will still be *some*). Otherwise you can use **alcuni** with masculine plural nouns and **alcune** with feminine plural nouns.

Che cosa hai fatto di bello?

You'll learn how to:

- make suggestions for doing something in your free time
- accept a friend's invitation
- decline an invitation and say what you'd prefer to do
- choose which film or TV program to watch
- make arrangements for meeting a friend
- talk about why you enjoy a particular pastime
- say what you were thinking of or hoping to do
- survey your classmates about their leisure activities

You'll find out:

- more about contemporary Italian music
- more about Italian TV
- what a true **bolognese** is

Che cosa facciamo domani?

Silvia e Marco vivono a Roma. Sono grandi amici, anche se non frequentano la stessa scuola. È sabato pomeriggio. La scuola è finita per la settimana! Aspettano gli amici. Vogliono fare qualcosa insieme domenica.

Finalmente! Ecco Daniele, con il suo nuovo motorino.

Forse mi lascia guidare a casa oggi...ciao Daniele!

2 Ciao ragazzi, che bello il weekend, no? Non vedevo l'ora di rilassarmi un po'. Beh, che cosa facciamo domani?

Alle due ho una partita di basket. Vuoi venire?

Mah, il basket non mi attira molto. Pensavo di andare al cinema. Che ne dici, Silvia? Ti va di vedere *Scream 3*?

3

Ma fammi il piacere! Lo sai bene che non mi piacciono i film d'orrore. E poi questa domenica ho una lezione di chitarra. Sarà per un'altra volta.

Perché non vai a vedere *Il gladiatore*? Ho letto tutte le recensioni. Secondo i critici è un film magnifico. Il protagonista è Russell Crowe, sai, quell'attore australiano dallo sguardo intenso...

Silvia è appassionata della musica rock e latino. Silvia ama suonare la chitarra, ma non è molto esperta!

4

Ecco Arianna che arriva.

Ciao Arianna, sono secoli che non ti vedo!

Ma...se ci siamo visti stamattina!

Sei libera domani pomeriggio? Hai voglia di vedere *Il gladiatore* insieme al tuo migliore amico?

Veramente volevo guardare la Tv. C'è un film poliziesco fantastico su RaiUno.

Non importa! Puoi registrare i tuoi programmi. *Il gladiatore* è un film da non perdere!

5

Va bene, tu m'inviti?

Ehm, veramente sono al verde, cioè non ho molti soldi per il weekend...

6

Siamo a Roma, bisogna fare alla romana, non è vero?

Allora incontriamoci alla Multisala Royal alle tre, OK? E poi ti accompagno a casa con questo scooter bellissimo.

Ma che cosa facciamo adesso? Volete venire da me e ascoltare il nuovo brano di Litfiba che ho imparato?

No!! La sua chitarra mi dà mal di testa!

Peccato, sono impegnata, sarà per un'altra volta.

7

Ehm, mi dispiace, ma non posso.

Daniele, sei stanco, vero? Ti porto a casa. Guido io, va bene?

8

No grazie, voglio vivere! Piantala! Parliamo invece di domani sera. Al centro giovani fanno una discoteca, e ci sarà anche una band. Perché non ci andiamo tutti e quattro?

Una bella serata di ballo, ottima idea! Magari ci facciamo una pizza prima, OK?

Allora incontriamoci qui in piazza domani alle sette, va bene?

9

Dai, Daniele, lasciami guidare a casa. Ti prometto di stare attento.

Nemmeno per sogno! Ieri hai quasi provocato un incidente. Le mie ginocchia mi fanno ancora male!

Dai, quante storie per un piccolo sbaglio! Dammi la chiave, ti prego!

10

Basta! Ho detto di no! Scendi!

Noi ce n'andiamo. Ci vediamo domani.

È domenica pomeriggio. Silvia è nella sua camera. Impara un nuovo brano di musica rock. Ascoltare e suonare la musica è il suo sfogo preferito.

Nel frattempo, Marco guarda i suoi amici che giocano una partita di basket. Secondo lui, l'arbitro non è molto bravo.

Ma cosa dici?! Non è un fallo! Non l'ha bloccato con le braccia! Un tiro libero? Ma va!

13 Ma alla fine gli amici vincono.

Evviva noi! Ce l'abbiamo fatta!

Non tutti si divertono questa domenica...

Ma dov'è Arianna? Il film comincia fra dieci minuti!

Tanti dicono che nello sport non importa chi vince o chi perde. L'importante è che ci divertiamo. Ma per Marco, lo sport è anche una sfida!

Il suo telefonino suona. È Arianna che chiama.

Allora niente film oggi, peccato! Cosa faccio questo pomeriggio? Forse vado da Silvia, chissà se ha finito di suonare la chitarra? Spero di sì, per il bene delle mie povere orecchie!

Sono qui a casa. Mi dispiace, speravo di finire i compiti prima di venire al cinema, ma ho ancora troppo da fare. Perché non ci vai da solo?

15

No, volevo vedere *Il gladiatore* con te! Pazienza, sarà per un'altra volta.

Va bene. Mamma non mi permette di uscire se non finisco i compiti. Spero di finire tutto prima delle sette, così ci vediamo per la pizza e il concerto!

Capitolo 3

Impariamo le parole!

Nomi

il bene	the good; the sake (of)
il brano	song; passage
il critico	critic
il fallo	foul
il film poliziesco	police film
l'importante (m)	the important thing
il/la protagonista	main character
la recensione	review
lo sbaglio	mistake
la sfida	challenge
lo sfogo	outlet
lo sguardo	look
il tiro libero	free shot
la voglia	desire

Aggettivi

appassionato	avidly interested in
esperto	expert
impegnato	busy
intenso	intense
migliore	better

Verbi

attirare	to attract, to interest
provocare	to cause, to provoke
registrare	to record

Avverbi

nemmeno	not even

Espressioni e parole utili

al verde	broke
ce l'abbiamo fatta	we did it!
chissà?	who knows?
fare alla romana	to pay one's own way
magari	perhaps
mi piacerebbe	I would like
nel frattempo	meanwhile
noi ce n'andiamo	we're going
non importa	it doesn't matter
pazienza	never mind
quante storie!	what a lot of fuss!
sarà per un'altra volta	another time, perhaps
ti prego	I beg you
ti va di...?	do you feel like...?
tu m'inviti?	are you paying for me?
tutti e quattro	all four (of us)

Domande

1. Che cosa vuole fare Daniele durante il weekend?

2. Silvia vuole andare al cinema?

3. Perché Arianna decide di vedere il film invece di guardare la Tv?

4. Chi paga per i biglietti del cinema?

5. I ragazzi che cosa decidono di fare in quattro?

6. Perché Daniele non permette a Marco di guidare lo scooter?

7. Per Marco lo sport è solo divertimento?

8. Che cosa deve fare Arianna domenica pomeriggio?

9. Daniele cosa spera di *non* fare quando va da Silvia?

In poche parole

1 Ecco alcuni passatempi popolari. Invita questi ragazzi a fare qualcosa con te. Come rispondono se vogliono accettare o rifiutare l'invito? Poi, parla di quello che hanno fatto ieri.

Arianna

Silvia e Marco

Livia e Melania

Emanuele

ascoltare la musica

giocare con i nuovi videogiochi

leggere un romanzo

fare una passeggiata in spiaggia

giocare a tennis

andare al cinema

1
- A **Arianna, sei** libera domani? **Ti** va di **fare una passeggiata in spiaggia?**
- B **Mi** dispiace ma non **posso. Sono** impegnat**a**.
- A Peccato!

2
- A **Livia e Melania,** che ne di**te** di **giocare con i nuovi videogiochi?**
- B Ottima idea! **Ci** piacerebbe **giocare con i nuovi videogiochi** ogni giorno!
- A Magari!

3
- A **Silvia e Marco hanno giocato a tennis,** vero? **Si sono** divertit**i?**
- B Mah, **la partita gli è** piaciut**a** abbastanza.

4
- A **Emanuele, sei andato al cinema** ieri?
- B Volev**o andare al cinema,** ma **mi** sentiv**o** troppo stanc**o,** e così **ho ascoltato i nuovi CD.**

In poche parole

2 Che cosa voleva fare Marco durante il weekend? Controlla l'agenda per sapere quello che pensava di fare, e quello che ha dovuto fare.

Sabato		Domenica	
8:00	~~fare una gita in montagna?~~	8:00	portare a spasso il cane
10:00	a scuola	10:00	COMPITI di scienze
12:00	~~fare una pizza con Luca?~~	12:00	e di matematica ~~giocare a pallavolo?~~
14:00	1:30 andare a pranzo da zia Luisa (che noia!)	14:00	
16:00	3:00-4:00 lezione di batteria ☹☹☹	16:00	
18:00		18:00	
20:00	festa – Gianluca 16° compleanno	20:00	
22:00		22:00	

1
A **Marco**, che cosa **fai** di bello questo weekend?
B Pensav**o** di **fare una gita in montagna**, sper**o** di averne il tempo.

2
A **Marco ha** fatto qualcosa d'interessante durante il weekend?
B Volev**a fare una pizza con Luca** ma purtroppo **è** dovuto **andare a pranzo dalla zia Luisa**.
A Peccato!

Studiamo la lingua! 1

1 Volevo guardare la Tv

When Arianna talks about what she *wanted* to do, she says:
Veramente volevo guardare la Tv.
Actually I wanted to watch TV.

Daniele says what he *was thinking* of doing:
Pensavo di andare al cinema.

Later on, Arianna tells Daniele she *was hoping* to finish her homework in time to go to the cinema, but couldn't:
Mi dispiace, speravo di finire i compiti prima di venire al cinema, ma non è possibile.

What you wanted, how you felt, what you knew and what you thought are ongoing mental/emotional states in the past, and so they are nearly always expressed using the **imperfetto**. The following verbs, when used to express past actions, are very likely to be in the **imperfetto**:

avere	pensare	desiderare
essere	ricordare	volere
amare	sapere	sperare
credere		

2 Le mie ginocchia mi fanno ancora male!

Most nouns in Italian are regular. Their endings **-o** and **-a** usually give us a very good idea of whether they are masculine or feminine, and how they should be spelled in the plural. But there are some irregular nouns to look out for:

nouns ending in -ma

il **problema**	i **problemi**
il **programma**	i **programmi**
il **sistema**	i **sistemi**
il **telegramma**	i **telegrammi**

parts of the body

il **labbro**	le **labbra**	il **ginocchio**	le **ginocchia**
il **dito**	le **dita**	l'**osso**	le **ossa**
il **braccio**	le **braccia**	il **ciglio**	le **ciglia**
la **mano**	le **mani**	il **membro**	le **membra**
l'**orecchio**	le **orecchie**	l'**ala**	le **ali**

A list of other nouns that are irregular in gender, plurals or pronunciation is included in the *TER*. Ask your teacher to print it out for you.

3 Una bella canzone, una canzone molto bella

You know that in Italian, adjectives usually follow the noun. However, some common adjectives can also come before the noun:

bello	cattivo	piccolo
bravo	giovane	stesso
brutto	grande	vecchio
buono	lungo	vero
caro	nuovo	

Quante storie per un piccolo sbaglio!
Ecco Daniele, con la sua nuova moto.

However, the adjective *must* follow the noun if:

- you are also using **molto**
- you wish to really emphasize the adjective
- you are using the adjective to highlight a contrast between one noun and another

In questi giorni danno dei film molto interessanti.
Conosco una pizzeria buonissima vicino a casa tua, Silvia.
Mettiti i jeans nuovi, non quelli vecchi.

4 ...insomma...cioè...beh...

As you listen to Silvia and her friends, you notice that they, like most Italians, often include words to invite agreement in their conversation.

Che bello il weekend, no?
Siamo a Roma, bisogna fare alla romana, non è vero?
Ma lo sport è anche una sfida, è vero?

Similarly, Italians commonly use 'fillers' to prevent gaps in their sentences...perhaps to hide the fact that they are not sure of what to say! In English *um, ah, well, so, hmm* and *like* are our favorite 'fillers'. In Italian you can take your pick from the following:

allora	well then
beh	well
cioè	that is
dunque	well then, now then
ehm	um

infatti	in fact
insomma	in short; on the whole; well; then
mah	*used to express hesitation, doubt or perplexity*
mmm	hmm
non so	I don't know, I'm not sure
praticamente	practically
vedi	you see
veramente	to tell the truth

Silvia and her friends often hesitate when deciding what to do on the weekend:

Mah, il basket non mi attira molto.
Veramente volevo guardare la Tv.
Sono al verde, cioè non ho molti soldi per il weekend.
Ehm, mi dispiace ma non posso...

5 Mamma mia! Quante esclamazioni! Pazienza!

Add these words to your conversation for an authentic touch:

avanti! dai! forza! su!	come on!, let's go!
abbasso...!	down with...!
accidenti!	darn!
aiuto!	help!
attenzione!	watch out!
bis!	encore!
caspita!	wow!
chissà!	who knows!
da capo!	from the beginning!
magari!	I wish! if only!
mamma mia!	my goodness!
oplà!	oops!
pazienza!	oh well; what can you do?
peccato!	what a pity!
puah!	*disgust at bad smell*
salute!	bless you! *(sneeze)*; cheers! *(toast)*
uffa!	*annoyance*
via!	go away!
viva...! evviva...!	hooray for...!

I passatempi dei giovani a Bologna

1 Ciao a tutti, mi chiamo Susanna Degiorgi. Abito a Bologna, e vorrei farvi conoscere la mia bellissima città. Ha più di duemila anni di storia, ma è anche molto moderna ed aggiornata. Allora, volete conoscere la mia banda? Su, andiamo a trovarli in piazza.

2 Eccoci nella piazza Maggiore. In fondo c'è l'enorme basilica di San Petronio, la quinta chiesa del mondo per grandezza. Può contenere 28 mila persone.

Adesso siamo nella piazza Nettuno. Qui c'è la famosa fontana del Nettuno, il dio del mare. Noi lo chiamiamo «il Gigante». Di solito i ragazzi della nostra banda si incontrano lì.

3

Gianluca vuole andare al cinema.

Allo Smeraldo danno *Battaglia per la Terra*. Prima visione, con John Travolta come star. Ti piacciono i film di fantascienza, vero?

Mentre Gianluca va al cinema…

Uno per *Battaglia per la Terra*. Ecco il mio CinemaCard.

4

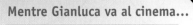

5

Io ho voglia di fare qualcosa di diverso, forse una partita di biliardi.

Sì, ma oggi sono già impegnata. Faccio dello shopping con Yasmin. Vacci tu a vedere il film, e poi incontriamoci all'una.

Con il CinemaCard paga il prezzo ridotto di 9.000L.

Capitolo 3

45

...io faccio un po' di shopping: il mio passatempo preferito! Prima andiamo in via Farini. Molti palazzi di Bologna hanno un portico come questo, dove la gente cammina. Questi portici sono molto eleganti, vero?

I bolognesi amano mangiare bene. L'Emilia Romagna produce tante varietà di salumi e anche dei formaggi famosi in tutto il mondo. Qui siamo al pastificio Paolo Atti, dove si possono comprare centinaia di tipi di pasta, ma soprattutto i tortellini, che sono «nati» qui a Bologna. Mmm, mi ricordo i tortellini che faceva mia nonna!

Ci sono moltissimi bar, caffè e osterie a Bologna. Dopo il film, Gianluca prende qualcosa da bere al caffè. Forse ha dimenticato il nostro appuntamento all'una!

Milleduecento per l'aranciata. Un biglietto da cinquemila? Ecco il resto.

Grazie.

Prego.

E per chi ha sempre sete, ci sono le fontanelle pubbliche antichissime.

Quando ero bambino mio nonno mi diceva che dalle fontanelle bolognesi si beveva vino e non acqua! E io gli credevo!

Ma come ho detto, Bologna è anche una città molto moderna, e noi giovani non possiamo fare a meno del nostro McDonald's.

Sì, il film mi è piaciuto, e John Travolta è molto in gamba. Gli effetti speciali erano incredibili, ma la storia era un po' banale...peccato!

Caspita! Quanto gli piace mangiare e bere! Gianluca è un vero bolognese.

Impariamo le parole!

Nomi

la banda	group
le centinaia *(pl)*	hundreds
la fontanella	drinking fountain
la grandezza	size
l'osteria	wine bar
il pastificio	pasta-maker
il portico	colonnade

il prezzo ridotto	concession price
la prima visione	first release, premiere
il salume	cold meat; preserved meat
lo shopping	shopping *(non-grocery)*

Aggettivi

aggiornato	up-to-date
banale	uninteresting; commonplace
impegnato	busy *(already has something to do)*

Non è vero!

1 San Petronio è la chiesa più grande del mondo. **No, non è vero, è la quinta chiesa di grandezza**.

2 La fontana del Nettuno mostra il dio delle foreste. **No, non è vero...**

3 Gianluca vuole vedere un film sentimentale. **No, ...**

4 Susanna suggerisce di incontrarlo il giorno dopo per un caffé. **No, ...**

5 Le specialità di Bologna sono le olive e le arance. **No, ...**

A tu per tu

 I giovani bolognesi oggigiorno hanno molto da fare, ma non era sempre così. Chiedi al nonno Alfredo quello che faceva da giovane.

Nonno Alfredo, i tempi sono cambiati da quando eri giovane, vero?

Sì, moltissimo.	Quando ero / Da	giovane, non mangiavo	gli hamburger. / le patatine.	Mia / Mio	nonno / madre

faceva	i tortellini. / il prosciutto. / le tagliatelle	Era / Erano	così	buono / buone / buoni	da mangiare!

E bevevi	il caffè / il vino	all' / al	bar / osteria	vero?

Certo,	i giovani / io	non	bevevo / bevevano	la Coca-Cola da McDonalds!

E che cosa	facevi / facevate	nel tempo libero?

Non c'era molto da fare.	Facevamo / Facevo	gite in bicicletta. / partite di calcio.

I tuoi genitori / Tuo padre	ti	dava / davano	dei soldi da spendere?

Macché!	Mio padre / I miei genitori	dicevano / diceva	sempre «Se vuoi soldi devi guadagnarli».

Programmi TV - Sabato 2 settembre

RaiUno

15:30	**LINEA BLU** attualità
16:40	**OVERLAND: AMERICA DEL NORD** documentario
18:00	**TG1** telegiornale
18:30	**ESTATISSIMA!** varietà con Raul Cremona
19:00	**MISS ITALIA NEL MONDO 2000** spettacolo Presenta Carlo Conti
20:00	**TG1 E METEO**
20:35	**RAI SPORT NOTIZIE** sportivo
20:40	**L'ISPETTORE DERRICK** telefilm

RaiDue

14:00	**ANNA DAI CAPELLI ROSSI** cartoni animati
14:20	**WALKER TEXAS RANGER** telefilm
16:00	**FINE SECOLO** miniserie, 2ª puntata
17:30	**DUE POLIZIOTTI A PALM BEACH** telefilm con Cameron Daddo
18:30	**TELEGIORNALE**
19:05	**E.R.** telefilm
20:00	**IL LOTTO ALLE OTTO**
20:10	**PERFIDE MA BELLE (Ita 1952)** commedia con Claudio Villa, Mario Riva

RaiTre

15:00	**RAI SPORT:** ciclismo e motociclismo
16:00	**XXII GIROFESTIVAL 2000** varietà con Stefania Fiorucci
18:50	**TG 3 METEO**
19:00	**LADRO DI CINEMA (1996)** film poliziesco
20:00	**TG 3**
22:00	**CALCIO UNDER 21: CAMPIONATI EUROPEI** sportivo
23:00	**QUANDO ERAVAMO RE (1996)** film drammatico con Mohammed Ali, George Foreman

Italia 1

15:40	**POKEMON E AMICI** cartoni animati
16:00	**I RAGAZZI DI MALIBU** telefilm
17:30	**ROBOCOP** telefilm
19:30	**STUDIO APERTO** telegiornale
20:00	**MOMENTI DI GLORIA** quiz con Mike Bongiorno
20:30	**NEL SEGNO DEL GIALLO** thriller con Katja Flint, Christopher Waltz
22:30	**DIE HARD 2 (Usa 1994)** film d'azione con Bruce Willis

Rete 4

16:00	**LA MACCHINA DEL TEMPO** documentario
17:00	**VIP IN VACANZA** varietà
17:30	**IL TRUCCO C'È** quiz
18:00	**MAPPAMONDO** documentario
19:00	**TG**
20:00	**UNA DONNA IN CARRIERA (Usa 1988)** commedia; Melanie Griffith, Harrison Ford
22:00	**PRESCRIZIONE OMICIDA (Usa 1995)** thriller Sean McCann
23:40	**NEW YORK POLICE DEPARTMENT** telefilm

Canale 5

16:20	**AUTOMOBILISMO: SUPER TOURING CUP 2000** sport
18:20	**CLIP TO CLIP** musicale
19:00	**TG INCONTRA** attualità
20:00	**CINQUE NEWS** telegiornale
20:45	**CYBORG TERMINATOR 3 (Usa 1993)** fantascienza Olivier Grunder, Brian James
22:45	**BYE BYE VIETNAM (Ita 1988)** azione A. Sabato, C. Alan
0:15	**UNA CANZONE PER TE** musicale

il canale	channel	**il film thriller**	thriller
i cartoni animati	cartoons	**il meteo**	weather forecast
la commedia	comedy	**la miniserie**	miniseries
il documentario	documentary	**il programma**	program
il film d'azione	action film	**il programma di attualità**	current affairs
il film drammatico	drama	**il programma di varietà**	variety program
il film di fantascienza	science-fiction/ fantasy film	**il programma musicale**	music program
		il programma sportivo	sports program
il film giallo	detective/ mystery film	**la puntata**	episode/part

il quiz	quiz show
lo spettacolo	performance/ show
il telefilm	series
il telegiornale	news
la trasmissione	program

A tu per tu

2 È sabato pomeriggio, piove, non c'è niente da fare...quindi, appuntamento con il telecomando! Leggi la guida televisiva e decidi cosa guardare insieme con il tuo compagno di classe.

Che giornata brutta! Che pioggia! Non ho voglia di uscire.

| Allora guardiamo la Tv. Su | Canale 5 / Rete 4 | c'è | *Super Touring Cup 2000.* / *La macchina del tempo.* | Che ne dici? |

| Mah, non mi | attira molto. / interessa. | Non mi piacciono | i programmi sportivi. / i documentari. |

| Allora ti va di guardare | *Fine secolo* / *I ragazzi di Malibu* | su | RaiDue? / Italia 1? | Dicono che è interessante. |

| Veramente preferisco | *Girofestival 2000.* / *VIP in vacanza.* | Secondo me, è più divertente. E poi cosa | ti piacerebbe / ti va di | guardare? |

| Hmm, che ne dici di | *Ladro di cinema* / *TG incontra* | su | Canale 5? / RaiTre? |

| Ma fammi il piacere! Odio | i film polizieschi. / i programmi di attualità. | Puoi registrarlo mentre guardiamo | *E.R.* / *Miss Italia nel mondo.* |

| Uffa! Non ti piacciono mai i miei suggerimenti! Va bene, dopo guardiamo | *Perfide ma belle.* / *Nel segno del giallo.* |

| Secondo i critici, è | un / una | commedia / thriller | divertente. |

| L'ho già visto. È un po' | banale. / noioso. | Guardiamo invece *Una donna in carriera.* | Gli attori sono bravissimi. / È molto originale. |

| Uffa! E per finire, possiamo guardare | *Die Hard 2* / *Prescrizione omicida* | su | Rete 4? / Italia 1? |

| Lo sai che non mi piacciono | i film thriller. / i film d'azione. |

| Non importa! / Basta! | Tu hai scelto tre programmi, e adesso *io* decido l'ultimo! |

| Allora invece di guardare | *Die Hard 2* / *Prescrizione omicida* | vado a | leggere una rivista. / ascoltare la radio. / vedere cosa c'è d'interessante su Internet. |

Meno male!

Now try the dialogue, choosing other programs from the TV guide. Don't forget to make all related changes as you substitute new programs.

Capitolo 3

49

Studiamo la lingua! ②

① Mi ricordo i tortellini che faceva mia nonna...

Here are four verbs that have an irregular form in the **imperfetto**:

dare	bere	fare	dire
io davo	io bevevo	io facevo	io dicevo
tu davi	tu bevevi	tu facevi	tu dicevi
lei/lui dava	lei/lui beveva	lei/lui faceva	lei/lui diceva
noi davamo	noi bevevamo	noi facevamo	noi dicevamo
voi davate	voi bevevate	voi facevate	voi dicevate
loro davano	loro bevevano	loro facevano	loro dicevano

② Altri usi di *di*

a Michele says that he wants to do something different:
Ho voglia di fare qualcosa di diverso.

You can also say:
Non ho fatto niente di interessante.

In English you use the pattern:
something (*nothing*) + adjective.
In Italian you use the pattern:
qualcosa (niente) + di + adjective.

b Other expressions using **di** include:

di mattina	in the morning	di primavera	in spring
di pomeriggio	in the afternoon	d'estate	in summer
di sera	in the evening	d'autunno	in autumn
di giorno	in the daytime	d'inverno	in winter
di notte	at night		

c In English you say *I think so, I believe not, he says so*. In Italian, you say ***penso di sì, credo di no, dice di sì.***

③ Altri usi di *da*

a Our Italian friends often use **da** when talking about the things they have to do, or want to do:

Ho tanto da fare.
I've got a lot to do.
Prendiamo qualcosa da mangiare.
Let's have something to eat.
Il gladiatore **è un film da non perdere.**
Gladiator is a film not to be missed.

Can you see a pattern here?

noun OR adjective + *da* + infinitive verb

You use **da** + infinitive when you want to show the purpose or use of the noun that comes before.

Other examples of this pattern:

tempo da perdere	time to waste/lose
buono da mangiare	good to eat
roba da mangiare	stuff to eat
difficile da risolvere	hard to solve
un film da vedere	film to see
brutto da vedere	ugly to see
pacchi da inviare	parcels to send
facile da capire	easy to understand

b You can also use **da** to describe people's physical features:
Sai, quell'attore australiano dallo sguardo intenso...
You know, that Australian actor with the intense look...
Loretta è la ragazza dai capelli ricci.
Loretta is the girl with the curly hair.

c You use **da** when talking about the purpose of an object:
Devo comprare delle scarpe da tennis.
I need to buy some tennis shoes.

una tazza da tè	tea cup
la macchina da scrivere	typewriter

d You use **da** when specifying amounts and measurements:

Un biglietto da cinque euro?
A five euro bill?

un francobollo da due euro	2 euro stamp
un sacco da cinque chili	five-kilo sack

A lingua sciolta! 1

Ho troppi impegni!

You want to see a film this weekend with your classmate, but both of you have a very busy schedule! Your diary is on this page, and your partner's diary is on page 43. Without looking at each other's diary, you must find a free two-hour slot to go to the movies. Have a telephone conversation in which you decide when you can go.

Here is a list of words and expressions you can use in your conversation. As you discuss the best time for a movie, try to use these words in the appropriate place. Can you manage to use them all?

- non vedo l'ora di...
- che ne dici?
- ti va di...?
- mi piacerebbe
- non mi attira molto
- sei libero/a
- ho voglia di...
- veramente volevo...
- non importa!
- tu m'inviti?
- facciamo alla romana!
- ottima idea!
- magari
- verso le...
- mi dispiace ma non posso
- che peccato!
- sono impegnato/a
- sarà per un'altra volta

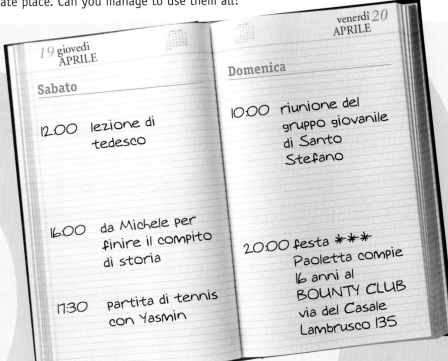

19 giovedì APRILE

Sabato

12:00 lezione di tedesco

16:00 da Michele per finire il compito di storia

17:30 partita di tennis con Yasmin

venerdì 20 APRILE

Domenica

10:00 riunione del gruppo giovanile di Santo Stefano

20:00 festa ✳✳✳ Paoletta compie 16 anni al BOUNTY CLUB via del Casale Lambrusco 135

A lingua sciolta! 2

Your two cousins have come from another town to spend the day with you. They love music just as much as you do, and so you make plans to enjoy a variety of musical activities together. Discuss all your different ideas about what to do, and arrive at a compromise that all three of you are happy with.

The musical activities pictured here may give you some inspiration!

NEW BOUNTY CLUB

biliardi
paninoteca
videogames

venerdì: musica dal vivo karaoke rock & latino americano

sabato: disco pub

Via del Casale Lambroso, 135
Milano tel. 06.66.18.12.55

Messaggerie Musicali is one of the biggest music stores in Milano, selling almost anything to do with music.

A lingua sciolta! 3

There are many questions you can ask your classmates about their favourite leisure activities:

- **I tuoi compagni di classe amano andare al cinema?**

- **Gli piace giocare a tennis? O a basket?**

- **Fanno dello sport, o guardano la Tv?**

- **Dove vanno per divertirsi?**

- **Quale tipo di musica odiano?**

- **Perché gli piace navigare su Internet?**

Decide on a question and ask it of your classmates. Record their answers. Then present a summary of your classmates' answers. Perhaps you can create a poster or table showing responses to your survey question.

> Al quarantacinque percento di studenti piace leggere. Leggono romanzi sentimentali, fantascienza, thriller e riviste. Per loro è uno sfogo importante per lo stress. Gli altri studenti della classe preferiscono rilassarsi in altri modi.

Un regalo
«Made in Italy»

You'll learn how to:

- go shopping for clothes, scooters and other necessities
- persuade a customer to buy a certain product
- complain at the store about a defective product
- talk about what you did while something else was happening
- talk about an Italian craft or product

You'll find out about:

- Italian crafts and products
- what makes a great Italian scooter
- Milano: the heart of the Italian economy
- art and artisanship in Firenze
- Italians' attitude to high technology

Lo shopping a Milano

Arianna è andata a Milano per stare alcuni giorni dagli zii. Lei adora Milano perché è la capitale del design e della moda italiana. Eccola che parla con suo cugino Ivano.

1 Milano è diversa da Roma. È più veloce. La gente ha sempre fretta.

Ma noi milanesi sappiamo anche divertirci come voi romani. Io non posso fare a meno delle partite dei mitici rossoneri a San Siro!

Milano non è solo per affari. C'è anche un centro storico con parecchi palazzi e chiese. Lo sapevi che Milano ha 1400 anni di storia? Ecco il Duomo, la più grande chiesa in stile gotico del mondo.

2

Si capisce, con tutti questi grattacieli, anche il Duomo deve essere grande.

Macché, scherzi? L'ultima volta che abbiamo fatto dello shopping, io ero stanco da morire, ma tu non ti sei fermata! Sul serio, oggi devo cercare un motorino da comprare, forse di seconda mano.

3

Di' la verità, Arianna: non sei venuta a Milano per me, ma per fare dello shopping!

A proposito, devo comprare un regalo per Silvia. Ho visto tante boutique interessanti mentre camminavamo dalla fermata. Vuoi venire con me?

4

Va bene, ti telefono verso le due, così puoi dirmi dove posso trovarti.

OK, ci sentiamo alle due.

5

Arianna va alla Galleria, il centro commerciale più famoso di Milano. Le boutique e i caffè sono uniti sotto un tetto di vetro e ferro, con una splendida cupola, e dei bei disegni sul pavimento.

Parecchi stilisti italiani e francesi hanno delle boutique alla Galleria.

6

Mamma mia, è tutto così costoso! Non posso permettermi di spendere così tanto. Meglio andare ai grandi magazzini.

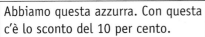

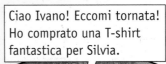

Nel frattempo, Ivano gira per gli showroom in cerca di uno scooter. Pensa fra sé che sono molto costosi.

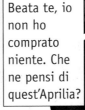

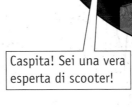

Capitolo 4

Impariamo le parole!

Nomi

gli affari	business
il bancomat	ATM; ATM card
il cambio	transmission
la carta di credito	credit card
il centro commerciale	shopping center
i contanti	cash
il ferro	iron
il freno a disco	disc brake
il grande magazzino	department store
il grattacielo	skyscraper
il motore	engine
il pavimento	floor
il reparto	department
la ricevuta	receipt
il rimborso	refund
il saldo	sale (at reduced prices)
lo scambio	exchange
lo sconto	discount
lo scooter	moped
lo/la stilista	designer
il tetto	roof
il vetro	glass

Aggettivi

automatico	automatic
costoso	expensive
gotico	gothic
parecchi	several
potente	powerful
raffreddato	cooled
sedicesimo	sixteenth

Verbi

permettersi	to afford

Espressioni utili

a proposito	by the way
beato te	lucky you
ci sentiamo	talk to you soon
di seconda mano	second hand
nel frattempo	meanwhile
non mi dice niente	it doesn't appeal to me
pensa fra sé	thinks to himself/herself
senta, scusi	excuse me (to get attention)
stanco da morire	exhausted
una vera occasione!	a real bargain!

Domande

1. Perché a Ivano piace vivere a Milano?
2. Perché Arianna vuole fare dello shopping?
3. Perché Ivano non ha voluto accompagnare Arianna in giro ai negozi?
4. Perché Arianna non compra il regalo alla Galleria?
5. Perché è meglio andare ai grandi magazzini?
6. Perché è un'occasione la maglietta che compra Arianna?
7. Se Arianna cambia idea sulla maglietta, che cosa può fare?
8. Perché è sorpreso Ivano?

In poche parole

1 Sei alla Rinascente, uno dei grandi magazzini di Milano. Devi comprare tanti regali per la tua famiglia. A quale reparto andare? Informati dalla commessa.

piano	reparto	piano	reparto
PT	accessori	2°	accessori auto e moto
PT	bellezza e salute	2°	sport
PT	calzature	3°	elettronica
PT	cartoleria	3°	libri e riviste
PT	gioielleria	3°	musica
PT	profumeria	3°	telefonia
1°	abbigliamento bimbi	4°	arredamento
1°	abbigliamento donna	4°	cucina
1°	intimo e calzetteria	4°	elettrodomestici
2°	abbigliamento uomo	4°	giocattoli

GRAN SALDO!

Sconto del 30%

Il nostro stile è il vostro

€ 60   €14   €26   €31   € 40

€28   €17   €10   €39   €8

1
A Senta, scusi, mi può dire dove si trovano **i dopobarba**?
B Deve andare al reparto **profumeria**, al **piano terra**.

2
A Scusi, quanto cost**ano** quest**i occhiali da sole**?
B Per questa settimana c'è lo sconto del 30 per cento. Cost**ano** solo **trentuno** euro. Una vera occasione!
C Va bene, **li** prendo.

Read **Studiamo la lingua! 2**, point 2 on page 65.

3
A **Lei ha** comprato quel **vaso** per me?
B No, **l'ha** comprat**o** per **sé**.

Puoi usare: tu   voi
lui   loro
lei

In poche parole

2 Hai comprato lo scooter Vespa ET2 50 solo un mese fa, ma adesso c'è qualcosa che non va. Spiega il problema al venditore.

Refer to the advertisement and new vocabulary on page 59 to discuss your new Vespa.

A   Senta, lo scooter è nuovo ma **i freni** non funzion**ano** più.

B   Mi dispiace ma **li** ha guastat**i** lei. Ricordo che prima funzion**avano** bene.

A   Impossibile! Er**ano** già così e **li** deve fare riparare.

B   Ma che cosa faceva quando **i freni** si **sono** guastat**i**?

A   Guidavo tranquillamente quando di colpo **i freni** non h**anno** funzionato più.

di colpo	suddenly

A tu per tu

1 Come Ivano, vuoi comprare uno scooter. Vai allo showroom, dove un commesso ti consiglia un motorino particolare.

> Il mio è un Aprilia stile «retro». Amo girare con esso per le vie di Roma.

Posso aiutarla?

| Cerco uno scooter | nuovo.
di seconda mano. |

| Abbiamo questo Vespa. È molto | potente.
grintoso.
scattante. |

Hmm, non è un po' piccolo?

| Ma è | pratico.
di ottima qualità. |

E che cosa ha di speciale?

| C'è
Ci sono | i freni a disco
la strumentazione digitale
gli pneumatici sportivi
l'antifurto elettronico | modernissima.
modernissimo.
modernissimi. |

Ha un bello stile...

| Certo, è un motorino | di ottimo design!
da urlo! | Ha notato | lo spoiler integrale,
il fanale efficacissimo, | vero? |

Allora quanto costa?

| Di solito costa 1833 euro, ma se | lo compra oggi
paga in contanti | c'è lo sconto del 15 per cento. Una vera occasione! |

Va bene, lo prendo.

Had a few tries? Now repeat the dialogue, substituting other phrases from the advertisement on page 59.

l'antifurto	antitheft device	agile	agile
la benzina verde	unleaded fuel	da urlo	screamer
il cruscotto	instrument panel	doppio	double
il fanale anteriore	headlight	efficace	efficient
il freno a disco	disc brake	integrale	integrated
la lega allumino	alloy	flessibile	flexible
il motore	engine	grintoso	gutsy
gli pneumatici	tyres	monocilindrico	single-cylinder
la ruota	wheel	potente	powerful
la scelta	choice	raffreddato ad aria	air cooled
la sella	motorcycle saddle	scattante	quick off the mark
il serbatoio	fuel tank	sicuro	safe
lo specchietto retrovisivo	rear vision mirror	acquistare	buy
la strumentazione	instrumentation	in omaggio	as a gift
		pronti...via!	ready, set, go!

A tu per tu

2 Sei sempre nei grandi magazzini, ma adesso vuoi comprare qualcosa per te stesso! Il/la commesso/a ti aiuta a scegliere la cosa giusta.

Posso aiutarla?

| Sì, mentre | entravo in negozio
guardavo la vetrina | ho visto | questi
queste | scarpe.
jeans. | Mi può dire quanto costano? |

| Costano 113 euro. Sono | modernissimi/e.
comodi/e.
firmati/e Fiorucci. |

| Veramente sono un po' | costosi/e.
leggeri/e. | Ne avete | altre
altri | di questo tipo?
meno cari/e? |

| Sì, abbiamo | molti
parecchi | modelli. Forse le piacciono | questi.
queste. |

| Sono di | alta qualità
prezzo più moderato | e molto | comodi/e.
pratici/che. |

Quanto costano?

Questa settimana ci sono i saldi, e c'è uno sconto del venti per cento,

| quindi costano 50 euro. | È | un affare!
una vera occasione!
un buon prezzo! |

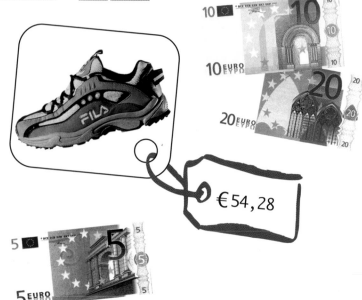

€ 50,00

| Hmm... veramente | cercavo
volevo | qualcosa di più | elegante.
casual. |

| Se | prende
compra | questo paio di | scarpe
jeans | riceve in omaggio | una T-shirt.
un cappello.
un portachiavi. |

| Va bene, | le
li | prendo. | Che | taglia
numero | porta? | Il
La | 38.
44. |

| Ecco | li.
le. | Come vuole pagare? |

| In contanti.
Con la carta. | Ecco a lei. |

Grazie...ecco fatto. Arrivederla e torni a trovarci!

€ 54,28

Taglia vestiti					
	US	S	M		L
♀	IT	42–44	46–48		50–52
♂	IT	42–46	48–50		52–54
Numero scarpe					
		5	6	7	8	9	10
♀	UK	5	6	7	8	9	10
	IT	36	37	38	39	40	41
♂	US	7	8	9	10	11	12
	IT	39	41	43	44	45	46

Capitolo 4

60

Kara (Giovanna) Ames   5/14/10

1. il regallo che molto vecchio
2. il centro per lo shopping. Ha molti reparti.
3. Recevere questo quando prendere un regallo. Devo portare questo quando tornare per ricevere il rimborso
4. La finestra è questo
5. Questo è quando un riparto ha molti sconti.
6. Quando avete molto sono!
7. ~~questa prottetto~~ la casa quando e piove o nevica.
8. Quando tornare l'abigliamento per un altra taglia.
9. l'edifici nella roma chi ha molti punti?
10. l'anello per il manito è l'oro
11. un altra parola per il cuoio.

☆ ~~va~~ ~~una personalvetra~~

Un edifici che l'artigiano uso.
~~Le case vecchio~~

una persone che lavore con l'oro.
Quando qualcosa e molto vecchio, questo è ___antiquato.___

Imperfetto	passato
1. sapeva	ho pensato
2. volevo	ha voluto
3. c'era	abbiamo girato
4. mi raccontava	ho detto
5. guardavo	abbiamo visitato

I = 1

V = 5

X = 10

L = 50

C = 100

D = 500

M = 1,000

Firenze D.O.C.

Mentre Arianna cercava il regalo ideale a Milano, Giusy ha fatto un salto a Firenze con i suoi genitori. Adesso scrive una lettera ad un'amica spagnola.

Isabel Garcia
Alcobar, 15
Vista Hermosa
Madrid 05100

Firenze, 28 luglio

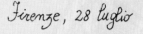

Carissima Isabel,

Sono qui a Firenze da cinque giorni. Ho pensato di inviarti anche delle foto, così vedi meglio com'è meravigliosa questa città. Ecco il Ponte Vecchio, uno dei tanti ponti sull'Arno, il fiume di Firenze. Lungo il ponte ci sono tanti negozi... bell'idea, no?

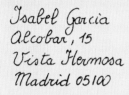

Questo è il Duomo di Firenze. La cupola splendida, disegnata da Brunelleschi, si vede da qualsiasi parte della città. Il Duomo è enorme, e vicino ad esso c'è il Battistero antichissimo.

Come sai, Firenze era il centro del Rinascimento, e oggigiorno i musei e le gallerie sono pieni di capolavori... e di turisti! Abbiamo girato per gli Uffizi e la Galleria dell'Accademia, e meno male quel giorno non c'era quasi nessuno. Ecco il famoso Davide di Michelangelo. Mica male!

Dopo la tredicesima galleria che abbiamo visitato, ho detto «Basta!!». Firenze non è solo arte, è anche un grande centro di moda e del «Made in Italy». Gucci, Ferragamo... se vuoi comprare scarpe, borse, una giacca di pelle, qualcosa di firmato, Firenze fa per te. Mamma sapeva che volevo entrare in questa boutique, ma non ha voluto fermarsi. Mi crede troppo spendacciona!

Capitolo 4

Ecco mia madre davanti ad una gioielleria sul Ponte Vecchio. Dalla finestra del negozio si vedono gli altri ponti dell'Arno. Mamma mi raccontava che i negozi degli orefici sono qui sul Ponte da più di quattrocento anni.

Basta con la storia mamma, dov'è la tua carta di credito?

Firenze ha una tradizione molto ricca di artigianato. Ci sono tantissime botteghe che vendono oggetti in cuoio, carta, legno, seta, oro, anche ceramica (Preferisco la ceramica di Caltagirone). . Mentre io guardavo i bei ragazzi che facevano la passeggiata lungo via dei Calzaiuoli, mio padre ha scattato queste foto. I miei genitori amano i negozi di antiquariato forse perché anche loro sono antiquati!

Ecco nostro cugino Lorenzo che lavora da anni in una bottega di rilegatura. Qui prepara la copertina di un libro. È un artigiano bravissimo, fa tutto da sé.

I fiorentini sono molto gentili: anche i vigili vogliono aiutare! Allora ti piacciono le mie foto? Fra due giorni torno a casa. Scrivimi presto e fammi sapere le tue novità.

Un bacio da Giusy

Impariamo le parole!

Nomi

l'antiquariato	antiques
l'artigianato	handicrafts; craftwork
l'artigiano	artisan, craftsman
il battistero	baptistry
la bottega	workshop; craft shop
la copertina	cover (*book; magazine*)
il cuoio	leather
esso	it
la gioielleria	jewelry shop
il legno	wood
il Made in Italy	products of high quality made in Italy
le novità	news
l'orefice *(m)*	goldsmith
l'oro	gold

la pelle	leather
qualcosa	something
la rilegatura	bookbinding
la seta	silk

Aggettivi

antiquato	old-fashioned
disegnato	designed
qualsiasi	any
spendaccione	spendthrift

Preposizione

lungo	along

Verbi

fare un salto a	to make a quick trip to
inviare	to send
scattare	to take (photos)

Capitolo 4

Domande

Puoi trovare delle risposte brevi a queste domande?
Forse puoi fare delle ricerche su Internet prima di rispondere al/la tuo/a prof.

1. Quanti anni ha il Ponte Vecchio?
2. Chi è Brunelleschi?
3. Che cosa è il Rinascimento?
4. Che cosa sono gli Uffizi?
5. Chi è Michelangelo?
6. Che tipo di oggetti producono gli artigiani fiorentini?

50 SPECIAL   LUNA POP

LUNA POP

Vespe truccate anni '60
girano in centro sfiorando i novanta
rosse di fuoco comincia la danza
di frecce con dietro attaccata una targa

dammi una Special l'estate che avanza
dammi una Vespa e ti porto in vacanza

ma quant'è bello andare in giro con le
ali sotto i piedi
se è una Vespa Special che ti toglie i
problemi
ma quant'è bello andare in giro per i
colli bolognesi
se è una Vespa Special che ti toglie i
problemi

la scuola non va, ma ho una Vespa
una donna non ho, ma ho una Vespa
domenica è già...

e una Vespa mi porterà fuori città...
fuori città... fuori città...
fuori città... fuori città...

esco di fretta dalla mia stanza
a marce ingranate dalla prima alla quarta
devo fare in fretta devo andare a una festa
fammi fare un giro prima sulla mia Vespa

dammi una Special l'estate che avanza
dammi una Vespa e ti porto in vacanza...

In poche parole

3 Sei un turista a Milano e a Firenze. Chiedi agli altri giovani turisti nell'albergo quello che hanno fatto oggi e ieri.

Boscolo Tours
Tutte le città meravigliose d'Italia

Tour di Firenze
Visita guidata della città
Durata: 7 ore
Partenze: tutti i giorni alle 9.30
Quota: € 49

Itinerario:

camminiamo lungo
il Ponte Vecchio

visitiamo gli Uffizi

vediamo il Davide

vediamo il Duomo di Firenze

Tour di Milano
Visita guidata della città
Durata: 4 ore
Partenze: mercoledi dalle 10 alle 10.30
Quota: € 31

Itinerario:

visitiamo la Scala

MUSEO TEATRALE ALLA SCALA
Biglietto d'ingresso · L. 5000
N° 005649

visitiamo il
Duomo di Milano

facciamo dello shopping
alla Galleria

guardiamo una partita allo
stadio di San Siro

1
A Oggi che cosa **hai** fatto?

B **Io ho preso un caffè alla Galleria** mentre **mio fratello visitava il Duomo di Milano.**

tu	voi
tuo fratello	mamma e papà
la tua amica	

2
A E ieri, come l'**avete** passato?

B Ieri **pioveva** e così **abbiamo scritto delle cartoline.**

fare troppo caldo	inviare un'email alla zia
piovere	prendere un caffè
sentirsi stanchi	rimanere all'albergo
	scrivere delle cartoline

Studiamo la lingua!

Capitolo 4

> Avevo voglia di uscire, e così ho fatto un giro in motorino.

1 Io ero stanco da morire, ma tu non ti sei fermata!

Arianna tells Ivano:

I saw many interesting boutiques while we were walking from the bus stop.
<u>Ho visto</u> tante boutique interessanti mentre <u>camminavamo</u> dalla fermata.

duration of action is not important; emphasizing that the action happened and was completed	action took place over a period of time; setting the background for other actions

The **imperfetto** and the **passato prossimo** can be used in the same sentence or paragraph, but they are used to describe different types of past events. When you use the **imperfetto**, you are emphasizing that the action/state/feeling was taking place over a period of time. When you use the **passato prossimo**, you are emphasizing the fact that the action happened and is completed, and not how long it took.

The **imperfetto** is used to set the scene, and describe background events and circumstances, while the **passato prossimo** is used to say what happened.

> **Io ero stanco da morire, ma tu non ti sei fermata!**
> **Mentre Arianna cercava il regalo ideale a Milano, Giusy ha fatto un salto a Firenze con i suoi genitori.**
> **Abbiamo visitato l'Accademia, e meno male quel giorno non c'era nessuno.**

Conoscere, **sapere**, **volere** and **potere** change in meaning depending on whether they are used in the **imperfetto** or in the **passato prossimo**:

conoscevo	I knew	**ho conosciuto**	I met	**volevano**	they wanted
sapeva	she knew	**ha saputo**	she found out	**non hanno voluto**	they refused to
potevamo	we could	**abbiamo potuto**	we managed to	**hanno voluto**	they insisted on

> **Mamma sapeva che volevo entrare in questa boutique, ma non ha voluto fermarsi.**
> Mom knew I wanted to go into this boutique, but she refused to stop.

2 Vedo lui...lo vedo

You already know about subject pronouns such as **io** and object pronouns such as **mi**. **Me** is a *disjunctive* pronoun. *Disjunctive* or *stressed* pronouns are used after a preposition, or immediately after a verb.

me	me; myself	**noi**	us; ourselves
te	you; yourself	**voi**	you; yourselves
Lei	you	**loro**	them (*people*)
lui	him	**essi/e**	them (*things*)
lei	her	**sé**	themselves
esso/a	it		
sé	yourself (*polite*), himself, herself, itself, oneself		

Giusy uses some disjunctives:

> **...vicino ad esso c'è il Battistero antichissimo.**
> ...near it is the very old baptistry.
> **...fa tutto da sé.**
> ...he does everything by himself.

3 Compie il sedicesimo compleanno

In **capitolo 1** you met the first ten ordinal numbers, which are quite irregular in formation. After **dieci**, the ordinal numbers are formed in a more regular way:

Drop the final vowel of the number	and add -esimo	
undic**i**	→ undic**esimo**	eleventh
vent**i**	→ vent**esimo**	twentieth
quarantacinqu**e**	→ quarantacinqu**esimo**	forty-fifth

These numbers can also be used in the feminine or plural form:

> **Dopo la tredicesima galleria che abbiamo visitato, ho detto «Basta!».**
> After the thirteenth gallery that we visited, I said 'Enough!'.

Note the way of abbreviating ordinal numbers:
16th = 16°, 16ª

4 Per, fra, in

Have a look at some different ways of using these prepositions:

per	*to indicate motion within a specific area*	**Abbiamo girato per gli Uffizi.** **L'ho incontrato per la strada.**	We walked around the Uffizi. I met him in the street.
per	*by*	**Devo finirlo per le due.** **Abbiamo perso la partita per 3 a 0.**	I must finish it for two o'clock. We lost the game three to zero.
per	*via*	**Arianna manda il regalo per posta.**	Arianna sends the gift via mail.
per	*multiplied by*	**Cinque per quattro fa venti.**	Five times four equals twenty.
fra/tra	*between*	**Il bambino cammina tra la mamma e il papà.**	The child walks between the mother and the father.
fra/tra	*among*	**Le piace camminare fra gli alberi.**	She likes walking among the trees.
fra/tra	*expressing future time*	**Fra una settimana fa il compleanno.**	It is her birthday in a week's time.
fra	*expressions with parlare/pensare*	**Parlavo fra me.** **Pensava fra sé.**	I was talking to myself. He was thinking to himself.
in	*with parts of the body*	**Penna in mano!** **Porta sempre il cappello in testa.**	Take your pen in your hand! She always wears a hat (on her head).
in	*to indicate a group*	**Siamo in quattro.**	There are four of us.

L'Italia hi-tech

Parole utili

Nomi

l'aviazione *(f)*	aviation
l'azienda	firm
il commercio elettronico	e-commerce
il computer portatile; il notebook	laptop
la ditta	firm
l'economia	economy
la fabbrica	factory
la fotocamera digitale	digital camera
la fotocopiatrice	photocopier
il genio	genius
il hi fi	stereo system
l'industria	industry
l'intrattenimento	entertainment
il lettore CD	CD player
il lettore DVD	DVD player
la macchina	machine
il matrimonio	marriage
il palmare	hand-held computer
il ruolo	role
lo schermo	screen
la stampante	printer
lo strumento di precisione	precision tool
la tastiera	keyboard
il turismo	tourism
l'utente *(f)*	user
il videoregistratore	VCR

Aggettivi

automobilistica	automotive
chimico	chemical
diffuso	widespread
in gran parte	mainly
in vendita	on sale
rinomato	renowned
tessile	textile

Verbi

chattare	to chat on the Net
cliccare	to click
comunicare	to communicate
connettersi	to connect to
costruire	to build
digitare	to type in
dipendere da	to depend on
inviare	to send
navigare	to surf, to navigate
produrre	to produce
salvare	to save
scaricare	to download
significare	to mean
soddisfare	to satisfy

Espressioni utili

fino a	until
ormai	by now
visto che	seeing that

L'Italia hi-tech

Gli italiani sono rinomati per il loro genio del design, non solo nella moda, ma anche nell'industria. L'economia italiana dipende non solo dal turismo e dalla moda! Dipende in gran parte dalle industrie hi-tech:

- la produzione di strumenti di precisione
- le macchine per l'agricoltura e per le fabbriche
- i prodotti chimici
- i prodotti tessili
- l'aviazione
- l'industria automobilistica

L'azienda Alenia costruisce aerei per tutto il mondo.

I computer e l'informatica hanno un ruolo importantissimo nella società italiana, soprattutto nella telecomunicazione via Internet e telefoni cellulari.

Agli italiani piace molto l'Internet...anche in piazza Duomo!

Gli italiani sono sempre in cerca di nuove tecnologie per intrattenimento.

Olidata è una ditta italiana che produce hardware come questo notebook.

A Roma c'è un Internet caffè con 350 PC.

La ditta Seleco produce Tv di ottimo design.

Ecco alcuni lettori DVD in vendita.

il camcorder	il modem
il fax	il monitor
il file	il mouse
il floppy	il processore
il hard disk	il RAM
lo hardware	il software

Il matrimonio cellulare - Internet

Fino ad oggi gli italiani hanno comprato più di 28 milioni di telefonini per soddisfare la loro passione di comunicare. Anche il servizio di messaggio corto (SMS) è da tempo molto popolare. Visto che ci sono cinque utenti di telefonino per ogni utente di PC, è probabile che per molti italiani il cellulare WAP sarà il modo preferito di

Da oggi, internet te lo WAPPI così.

omnitel 2 000

connettersi ad Internet. Il WAP (Wireless Application Protocol) permette agli utenti di questa nuova generazione di cellulari di navigare in Internet, di fare del commercio elettronico e di inviare email. Il WAP è ormai così diffuso che c'è anche un nuovo verbo «wappare» che significa «navigare in Rete con un telefonino».

A lingua sciolta! 1

You have recently made an expensive purchase, but for some reason you return it to the store, and ask for an exchange or a refund. The sales assistant may need some convincing that the product is faulty or not what you wanted. You may need to do some compromising in order to achieve a solution that is acceptable to both you and the store.

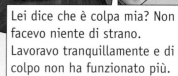

A lingua sciolta! 2

Il «Made in Italy»: non solo moda, pizza e pasta!

Italy is a leader in the manufacture of top-quality, well-designed products in a huge variety of sectors: technology, industry, machinery, textiles, automotive, furnishings and more. Italians are also proud of centuries-old traditions of fine craftsmanship in wood, ceramics, metal, leather, silk, linen, wool, paper...and of course food!

Some kinds of products are manufactured all over Italy, but others are specialties of a particular region or province.

Research an Italian craft or product, and present your findings to the class. You can tell the class:

- why this product/craft is special
- where and for how long it has been made in Italy
- about the materials used in this product/craft
- where it is exported to around the world

You should include pictures (or perhaps a sample!) of the product in your presentation.

Chi trova un amico trova un tesoro

You'll learn how to:

- give a friend advice and encouragement
- say what you **don't** do
- use gestures with or without words, to 'say' what you mean, Italian style
- persuade someone to come along to a party or outing
- organize a party
- discuss who to invite to a party
- talk about love and friendship
- find a compatible pen pal

You'll find out about:

- **gli onomastici**

Leo si fa coraggio

Mentre le ragazze parlano, Leo ammira Chiara da lontano.

1

Chiara ti è simpatica, vero? Sei innamorato di lei!

Per lei sono un amico e basta. Ma a volte è così affettuosa, così gentile con me. È difficile sapere quello che pensa di me.

Allora perché non le dici qualcosa? Chiara è intelligente e comprensiva; ti capirà.

È facile a dirsi! Ma non ho nessun'idea di cosa dire! Forse non mi parlerà più.

Perché così negativo? Forza, non è così difficile abbordare le ragazze.

2

Ma...

Cosa ci perdi? Sta' tranquillo, tutto andrà bene.

Leo si avvicina a Chiara. Parlano del più e del meno...

3

A proposito, lo sai che Gaby dà una festa domani sera? Vieni anche tu?

Mmm, forse sono occupata...

Esci con quello spaccone di Roberto, vero?

Che dici? Non è uno spaccone.

4

Lo so che ti piace. Lui è ricco, ha tutto! Si dà sempre delle arie. Mi dà sui nervi!

Non fare lo stupido! Roberto è un amico e basta! I suoi soldi non mi fanno né caldo né freddo. Allora tu mi credi così superficiale?

No, no, non volevo offenderti. Non sei affatto superficiale.

5

Dai, stammi a sentire, è vero che non mi piace Roberto, ma non voglio che tu ti arrabbi con me.

In ogni modo, ti sbagli. Io non esco con lui domani sera. Non esco con nessuno! Pensavo di andare a trovare le mie cugine domani.

Capitolo 5

Hai ragione, non devo saltare alle conclusioni. Scusami.

Va bene, va bene, non importa.

6

OK, ci vengo. Tanto, ci vanno tutti i nostri amici.

Allora vieni alla festa?

Fantastico, mi fai davvero piacere.

Allora ciao, a domani.

7

Ciao, e telefonami se hai bisogno d'aiuto con il compito d'inglese.

8 Attenzione, Leo! Stai per sbattere contro l'albero!

È così bella, e non è innamorata di Roberto, meno male...e non esce neanche con gli altri ragazzi...

9

Aiii!! La mia mano!

Grazie tanto per i tuoi consigli! Chiara si è offesa, e quasi quasi mi sono rotto il polso! Bella amicizia!

Scemo! Ma che fai?

10

Chi ha la testa fra le nuvole non vede mai gli alberi!

Sì, e chi ama soffre.

11

Sta' tranquillo, i miei consigli ti aiuteranno ad attirare Chiara. Ricordati: chi trova un amico trova un tesoro!

Impariamo le parole!

Nomi

l'amicizia	friendship
il consiglio	piece of advice

Verbi

abbordare	to hit on, to flirt with
ammirare	to admire
andarsene	to go away
arrabbiarsi	to become angry
avvicinarsi	to approach
consigliare	to advise
dare una festa	to give a party
dare una mano	to help
dare sui nervi	to get on one's nerves
darsi delle arie	to put on airs
farsi coraggio	to build up courage
innamorarsi di...	to fall/be in love with...
offendere	to offend
parlare del più e del meno	talk about this and that
rompersi	to break (part of one's body)
sbattere contro...	to bump into..., bang against...
soffrire	to suffer
stare per...	to be about to...

Aggettivi

affettuoso	affectionate
gentile	kind
offeso	offended
sbagliato	wrong; mistaken
superficiale	superficial

Espressioni e parole utili

affatto	not at all
aiuteranno	they will help
andrà	he/she/it will go
a proposito	by the way
capirà	he/she will understand
cosa ci perdi?	what do you have to lose?
è facile a dirsi!	easier said than done!
fare lo stupido	to act stupid
fare né caldo né freddo	to not matter at all (to someone)
in ogni modo	anyway
neanche	not even
stammi a sentire	hang on (and listen to me)
tanto	in any case
ti piacerebbe	you would like
ti sbagli	you're mistaken

Domande

1. Qual è il dilemma di Leo?
2. Emanuele gli dà un consiglio: che cosa deve fare Leo?
3. Leo salta alla conclusione sbagliata: quale?
4. Secondo Leo, perché è antipatico Roberto?
5. Leo che cosa ha detto per offendere Chiara?
6. Perché Chiara decide alla fine di andare alla festa?
7. Perché Leo ha la testa fra le nuvole?
8. Emanuele è un bravo amico?

Come farfalle

Ho fatto molti sbagli,
ma alla luce del sole
mi accorgo di volerti bene...
E come l'onda del mare
giunge alla spiaggia,
anch'io vorrei arrivare
da te, per dirti
quel che provo
e non lasciarti mai.

Volare insieme
come farfalle
sulle ali dell'amore
nel blu dell'infinito
e perdermi
nei tuoi occhi neri,
sognare...
ti amo da star male!

Da Silvia

In poche parole 1 ...senza parole!

Il tuo compagno di classe ti dice alcune delle frasi
seguenti. Quali gesti puoi usare per rispondere?

I gesti sono una parte importantissima della lingua italiana. Ogni regione d'Italia ha i propri gesti, ma ce
ne sono tanti che si usano in tutto il paese. Questi gesti si possono usare anche senza parole. Provali: devi
usarli se vuoi parlare l'italiano in modo autentico!

1 A Mi puoi dare 50 euro?
B ...

2 A Vai alla festa? Ma non hai studiato per l'esame domani!
B ...

3 A Com'è andato l'esame?
B ...

4 A Dai, pulisci la tua camera e lava i piatti!
B ...

5 A Vai a telefonare alla tua ragazza? E se la prof ti becca?
B ...

6 A È bello il tuo scooter! Posso guidarlo io a scuola?
B ...

7 A Ti piace quel ragazzo? Perché non lo inviti a cena?
B ...

8 A È stato un film interessante?
B ...

9 A Non ti piacciono i film comici, vero?
B ...

10 A Dobbiamo aspettare un'altra mezz'ora.
B ...

11 A Ehi! Vieni qui!
B ...

12 A Prima di uscire devi finire tutti i compiti!
B ...

ma che dici?
ma che fai?
ma che vuoi?

me ne frego!
non m'importa!

ma fammi il piacere!

sei matto?

uffa!

ottimo!
tutto a posto!

In poche parole

2 Di solito le feste sono divertenti...ma non per tutti!
Ecco quattro guastafeste. Chiedi a loro cosa gli piace
fare alle feste.

Read **Studiamo la lingua!**, point 1 on page 81 before attempting these.

1

A	Alle feste **Paolo partecipa ai giochi**?	
B	Non **partecipa** mai, non **partecipava**	nemmeno / neanche	da bambin**o**.

2

A   **Paolo** e **Valerio, portate qualcosa da bere** alle feste?

B   Prima **portavamo qualcosa da bere**, ora non **portiamo** più **qualcosa da bere**.

3

A   A **Donatella** non piace **vestirsi in costume**, vero?

B   Non **le** piace affatto **vestirsi in costume**.

4

A   **Ilaria**, cosa non **ti** piace fare alle feste?

B   Non **mi** piace né **fare foto** né **mangiare**.

5 Now ask your partner these questions to
find out what they don't do at parties.

In poche parole

3 Che cosa stanno per fare questi ragazzi?

Adriana e Gaby

Emilie

Michele

Corrado e Fabrizio

Lorenzo

Cristina

A	Che cosa fa **Michele**?
B	Sta per **sbattere contro il tavolo.**

A tu per tu

1 Vuoi dare una festa. Un amico o un'amica ti chiede chi pensi di invitare.

Tu inviti	Stefania Antonio Mara e Pierpaolo	**alla tua festa?**

Penso di	sì. no.	Sono È	così	vanitos timid simpatic	a. o. i.

È vero che	è sono	taciturn scherzos arrogant	i. a. e. o.	

Però	sono è	anche	un po' molto	vivac superficial divertent gentil	e. i.

Allora	lo la li	**inviti, sì o no?**

Sì **No, non**	la li lo	invito perché	si mi	dà danno presta prestano	delle arie! sui nervi! degli ottimi Cd!

Spero che Chiara non inviterà quello spaccone di Roberto.

Se diamo una festa vorrei invitare tutti i miei amici.

Mmm, sarà una festa molto divertente.

prestare	to lend
taciturno	reserved, doesn't say much

Alla festa di Gaby

Leo è un po' nervoso perché vuole fare bella figura con Chiara.

Chiara non è ancora arrivata? Abbi pazienza! Sii naturale, sii te stesso...e non sbattere contro la mobilia!

Chiara arriva.

Non vedo nessuno dei miei amici.

Guardate Chiara, sempre in ritardo. È così vanitosa, vuole attirare tutta l'attenzione. Si trucca troppo: forse vuole conquistare un ragazzo stasera.

Non è vero, Fulvia, lo sai che Chiara non è né vanitosa né egoista.

Forse sei gelosa?

Fulvia è così dispettosa. Ha torto a parlare male di Chiara. Adesso vado a darle il benvenuto.

Ma io scherzavo, lo so che tu e Chiara siete amiche per la pelle!

Le vere amiche non mettono in giro dei pettegolezzi.

Purtroppo Chiara ha sentito quello che Fulvia ha detto, e ci rimane male.

Eccola! Dai, va' a parlarle.

Ma non so cosa dire. Non vorrei fare una figuraccia.

Quella Fulvia mi dà sui nervi, non la sopporto affatto!

Abbi fiducia in te stesso. Raccontale una barzelletta. Le ragazze amano i ragazzi che le fanno ridere.

Capitolo 5

Impariamo le parole!

Nomi

la barzelletta	joke
la figuraccia	very bad impression
la mobilia	furniture
l'onomastico	name day
il pettegolezzo	gossip
raga	*slang: short form of* **ragazzi**
l'ultimo	latest one

Aggettivi

d'oro	wonderful, exceptional
dispettoso	spiteful
forte	*slang:* great

Verbi

avere sonno	to be sleepy
avere torto	to be wrong

conquistare	to win over; to conquer
dare il benvenuto	to welcome
fare ridere a	to make laugh
mettere in giro	to spread around (*gossip*)
raccontare	to tell
rimanere male	to be upset
sopportare	to bear
truccarsi	to wear make-up

Espressioni utili

abbi fiducia in te stesso/a	have confidence in yourself
abbi pazienza!	be patient!
addio bella figura!	you can forget making a good impression!
amici per la pelle	bosom buddies
in pista	on the dance floor
sii naturale	be natural
sii te stesso	be yourself

Domande

1. Quali consigli dà Emanuele a Leo?
2. Gaby è d'accordo con Fulvia?
3. Come vediamo che Melania e Chiara sono «amiche per la pelle»?
4. Chiara è indifferente a quello che dice Fulvia?
5. Leo è sicuro di sé quando parla con Chiara?
6. Chiara e Leo sono bravi amici? Come facciamo a saperlo?

Ma oggi è il tuo onomastico, vero, Gaby?

Il 29 settembre, sì.

Auguri! Allora volevi festeggiare l'onomastico?

No, non festeggio mai né onomastico né compleanno...non ho bisogno di feste per fare festa!

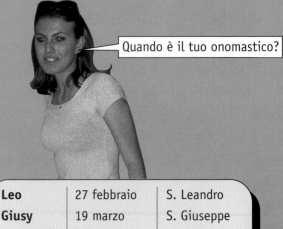

Quando è il tuo onomastico?

Leo	27 febbraio	S. Leandro
Giusy	19 marzo	S. Giuseppe
Emanuele	26 marzo	S. Emanuele
Chiara	11 agosto	S. Chiara
Melania	31 dicembre	S. Melania

In poche parole ④

These people need your advice! Let your partner read out each problem, then choose a phrase from each of the boxes below to give appropriate advice. Afterwards, you can read the problems and it will be your partner's turn to give advice by choosing another suitable combination as a reply to each.

I miei genitori sono troppo severi. Gli dico che vado a studiare da Valeria, ma invece esco con il mio ragazzo.

Lui non s'interessa di me, sono così timida. Meglio dimenticarlo!

Ha raccontato a tutti il mio segreto: adesso io metto in giro il suo!

Vorrei invitarla ad uscire con me, ma forse ride!

Stai per fare un grosso sbaglio. Se dici bugie, i tuoi genitori non possono più avere fiducia in te.

OPPURE

Sta' attenta, se dici bugie, i tuoi genitori non possono più avere fiducia in te.

- Hai torto a pensare così.
- Stai per fare un grosso sbaglio.
- Sta' attento/a.
- Abbi fiducia in te stesso/a.
- Sii te stesso/a.
- Sta' tranquillo.
- Abbi pazienza.
- Niente scuse!
- Fatti coraggio!
- Tanto, cosa ci perdi?

- Perché non invitarla al cinema?
- Non sei così timida come pensi.
- Perché essere cattiva come lei?
- Se dici bugie, i tuoi genitori non possono più avere fiducia in te.

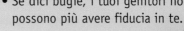

A lingua sciolta! 1

For groups of up to ten students: You are seeking a pen pal and so you've sent an ad to the Italian teen magazine *Cioè*. Now *Cioè* has invited you to a pen pal party where you can meet your ideal correspondent in person. Before you go to the party, carefully read 'your' ad (which your teacher will give to you). At the party, work your way around the group, asking the other pen pals questions about their age and interests. Without letting the other pen pals read your ad, you must compare information until you meet the person who seems most suitable to be your correspondent.

A lingua sciolta! 2

You and a friend decide to organise a party to celebrate a special occasion. You've already jotted down a few notes:

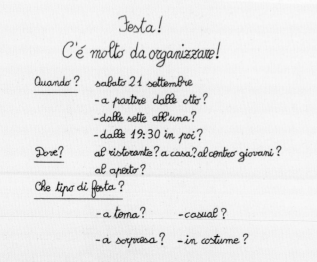

Now get planning! You must decide what is to be done and who must do it. Prepare this conversation and then present it to your classmates.

Studiamo la lingua!

1 Non mi fa né caldo né freddo

You know that to form a negative sentence, you place **non** before the verb or the auxiliary. **Non** can be used in combination with other negative words as well:

non...affatto	not...at all	**Non sei affatto superficiale.** You're not at all superficial.
non...ancora	not...yet	**Chiara non è ancora arrivata?** Chiara hasn't arrived yet?
non... mai	never	**Non mi sono mai piaciute quelle barzellette.** I've never liked those jokes.
non... né...né	neither...nor	**Chiara non è né vanitosa né egoista.** Chiara is neither vain nor self-centered.
non...nemmeno OR **neanche**	not...even	**Non esce neanche con gli altri ragazzi.** She's not even going out with other people.
non...nessuno	not...anybody; no one	**Non vedo nessuno dei miei amici.** I can't see any (any one) of my friends.
non...niente OR **nulla**	not...anything; nothing	**Non mangio niente prima di dormire.** I don't eat anything before sleeping.
non...più	not...any longer; any more	**Forse non mi parlerà più.** Perhaps she won't speak to me again.

continua

When using these double negatives you keep the **non** before the verb and place the other negative word immediately after the verb. **Mai** and **ancora** can be placed directly after the auxiliary in a verb in the **passato prossimo**.

> **Leo non ha mai abbordato una ragazza.**

Most of these negative words can be used on their own:

> **Leo balla alle feste? Mai.**
> **Hai visto le tue amiche alla spiaggia? Nemmeno una.**

2 Non ho ritmo

When Leo tries to get out of dancing, he says:

> **Non ho ritmo.**
> I haven't any rhythm.

Normally you know to use **del** to express *some* or *any*. However, there is no need for a word meaning *some* or *any* in a negative Italian sentence:

> **Abbiamo comprato del pane.**
> We bought some bread.
> **Non abbiamo comprato pane.**
> We didn't buy any bread.
>
> **Mi dispiace, non ho penne.**
> Sorry, I don't have any pens.

Leo non ha ritmo, ma io sì!

4 Chi trova un amico trova un tesoro!

Chi? in a question means *Who?*, but **chi...** in a statement can mean *he who...*, *she who...*, *whoever...*, *those who...*, *the one who...*

> **Chi ha la testa fra le nuvole non vede mai gli alberi!**
> He whose head is in the clouds never sees the trees!
>
> **Chi ama soffre.**
> Whoever loves suffers.
>
> **Chi trova un amico trova un tesoro.**
> Whoever finds a friend, finds a treasure. (Italian proverb)

Chi is often found in proverbs and sayings.

3 Niente scuse!

When you wish to use *no* as an adjective, i.e. to qualify a noun, you use **niente**:

> **Niente scuse!**
> No excuses!
> **Niente dolore, niente risultati!**
> No pain, no gain!
> **Allora niente film oggi, che peccato!**
> So no film today, what a pity.

5 Non fare complimenti!

You have already encountered several expressions using **avere**, **fare**, **dare** and **stare**. Here are some of those you already know and others which you may find useful:

avere fiducia	to have confidence
avere pazienza	to be patient
avere sonno	to be sleepy
avere torto	to be wrong
avere voglia di	to feel like
fare alla romana	to pay one's own way
fare attenzione	to pay attention
non fare complimenti!	don't be shy!
fare colazione	to have breakfast
fare dieta	to be on a diet
fare finta di	to pretend to
fare il muso	to pout
fare la fila	to wait in line
fare il/la + *adjective*,	to be + *adjective*
e.g. **fare lo stupido**	to act stupid
fare quattro passi	to take a short walk
farsi coraggio	to build up courage
fare una domanda	to ask a question
fare una fotografia	to take a photo
dare del tu	to use **tu** instead of **lei**
dare il benvenuto	to welcome
dare sui nervi	to annoy
dare una festa	to throw a party
dare una mano	to help
dare un esame	to sit an exam
stammi a sentire!	listen to me!
stare per + *infinitive*	to be about to + *infinitive*
stare tranquillo	to stay calm

Un viaggio alla scoperta di...

You'll learn how to:

- plan where you'll go and what you'll do on vacation
- ask for information about transportation and accommodation
- talk about what your vacation was like
- talk about what was better and what was worse

You'll find out more about:

- the Italian vacationer's favorite destinations and activities
- getting back to nature in Trentino-Alto Adige
- tourist attractions in Sicily

Agosto: al mare o in montagna?

Questa è Ylenia, un'amica di Silvia.

1 Ciao ragazzi! Non vedo l'ora di andare in vacanza, andare via dalla città. Quest'anno vorrei fare qualcosa di diverso.

Ylenia vuole convincere la mamma di fare le vacanze in montagna invece che al mare.

2 Non facciamo la solita vacanza a Rimini. Tutti dicono che le Dolomiti nel Trentino-Alto Adige sono bellissime.

Ma in estate non potremo sciare. Tu non potrai fare dello snowboard e nemmeno del pattinaggio.

Le montagne sono belle anche d'estate! Ci saranno tante cose da fare. Anche Bricciola si divertirà!

Bau bau

Una vacanza estiva nel Trentino-Alto Adige: ottima idea! I genitori di Ylenia vanno all'agenzia di viaggi. L'agente di viaggi dà dei consigli per quanto riguarda l'itinerario, la sistemazione e le prenotazioni.

3 VIAGGI & TURISMO

Natura incantevole...
Sole e avventura in montagna...

Vacanze nel Trentino

4 Vediamo...è media stagione fino al 28 luglio, poi sarà alta stagione, che finirà il 25 agosto. Se aspettate a settembre sarà bassa stagione e pagherete meno per l'alloggio.

5 Come vedete, è un ambiente naturale incantevole, anche d'estate. Potrete fare delle escursioni di trekking o di mountain bike, dell'equitazione, degli sport acquatici. Potrete anche fare un salto in Austria, o in Svizzera.

Ylenia cerca su Internet delle informazioni sul Trentino-Alto Adige.

6 Forse troverò lo stadio di pattinaggio velocità dove si allena Roberto Sighel! È il mio mito! Chissà, forse lo incontrerò e mi darà un altro autografo...

Che cosa metterò in valigia? Gli scarponi, i pattini, gli occhiali da sole...

8 Non avrò bisogno di quelle giacche invernali! Ma anche d'estate non fa molto caldo in montagna; meglio portare questa maglia.

E cosa farà Silvia in agosto? Una vacanza nel Marocco? In Sardegna? In Egitto? No, quest'anno Silvia, il fratello e i genitori andranno in Sicilia, al litorale sud, dove ci sono spiagge meravigliose e templi greci e romani.

Nella Sicilia farà molto caldo; porterò questi vestiti, il costume da bagno, la crema abbronzante...

9

10

Al mare nuoteremo, prenderemo il sole, faremo delle passeggiate, mangeremo le granite...incontrerò dei bei ragazzi siciliani! Mmm, sarà un Ferragosto da non dimenticare!

Capitolo 6

85

Impariamo le parole!

le Dolomiti	un gruppo di montagne al nord-est d'Italia, che fanno parte delle Alpi italiane
Ferragosto	il 15 agosto: durante la settimana intorno al 15, quasi tutti gli italiani vanno in vacanza!
Rimini	un paese nell'Emilia Romagna, sulla Riviera dell'Adriatico

Nomi

l'agente di viaggi	travel agent
l'agenzia viaggi	travel agency
l'alloggio	accommodation
l'alta stagione	high season
l'autografo	autograph
la bassa stagione	low season
la crema abbronzante (protettiva)	sunscreen
l'escursione *(f)*	walk; trip; outing
la granita	flavored ice (*Sicilian specialty*)
l'itinerario	itinerary
il litorale	coast
la media stagione	shoulder season
il pattinaggio velocità	speed skating
la prenotazione	booking
i preparativi	preparations
lo scarpone	walking/hiking boot

la sistemazione	accommodation
il tempio *(pl templi)*	temple
il trekking	hiking
la valigia	suitcase

Aggettivi

acquatico	water
estivo	summer
incantevole	enchanting
invernale	winter
meraviglioso	marvelous

Verbi

convincere	to convince
fare dello snowboard	to go snowboarding
prenotare	to book

Espressioni utili

per quanto riguarda	with regard to

Domande

1 Perché Ylenia non vuole fare una vacanza al mare?

2 Perché vuole andare alla regione del Trentino-Alto Adige?

3 L'agente di viaggi come aiuta i suoi clienti?

4 Quando si paga di più per l'alloggio?

5 Che cosa c'è da fare nel Trentino-Alto Adige?

6 Perché Ylenia non dovrà portare una giacca?

7 Dove andrà la famiglia di Silvia in agosto?

8 Cosa farà Silvia durante la sua vacanza siciliana?

In poche parole

1 Hai comprato un biglietto per la lotteria di sabato sera. Se tu vinci, che cosa farai? Come ti sentirai? E se vince tua madre?

Se vinco la lotteria...

...partirò per un viaggio in giro al mondo,...

...visiterò tanti paesi lontani ed esotici,...

...troverò un castello nelle montagne e lo comprerò,...

...scriverò un libro delle mie esperienze,...

...mi divertirò,...

...sarò felice,...

1 **A** Se tu vinci la lotteria, che cosa farai?
B Io...

2 **A** E se tua **madre** vince la lotteria, cosa farà?
B Mia **madre**...

In poche parole

2 Chiedi a queste persone dove andranno per le vacanze, e come e quando ci vanno.

Bettina
partenza: 25 luglio

Dora e Mauro
partenza: 1 agosto

Erik
partenza: 20 luglio

Il lago di Como
arrivo: 7 agosto

Agrigento
arrivo: 20 agosto

Venezia
arrivo: 6 agosto

Merano
arrivo: 14 agosto

1

A **Bettina**, quando partir**ai** in vacanza?
B Partir**ò** il **25 luglio.**
A E quando arriver**ai** a **Como**?
B Arriver**ò** il **7** agosto.
A Come ci andr**ai**?
B Prender**ò** **il treno.**
A E quando sar**ai** a **Merano**?
B Ci sar**ò** il **14** agosto.

oppure

2

A **Dora e Mauro** quando partir**anno** in vacanza?
B Partir**anno** il **1 agosto.**
A E quando arriver**anno** a **Venezia**?
B Arriver**anno** il **6** agosto.
A Come ci andr**anno**?
B Prender**anno** l'**aereo.**
A E quando sar**anno** a **Agrigento**?
B Ci sar**anno** il **20** agosto.

VILLA SANT'ANDREA

Albergo di 1ª categoria a Taormina

Antica e bellissima villa fronte mare costruita nel 1830.

- Le camere hanno balcone, vista mare, aria condizionata, bagno, frigo bar, Tv a colori, telefono, cassaforte
- L'albergo ha due ristoranti, un bar con servizio spiaggia, terrazza, garage.

SPORT e RELAX:

- spiaggia privata di sabbia, con cabine, ombrelloni, sedie a sdraio
- piscina ■ noleggio barche/pedalò ■ istruttori di sci nautico, windsurf, sub
- idromassaggio ■ campi da tennis ■ biblioteca riviste, libri, CD

Tariffe per persona al giorno (Euro)						
Camera	**Bassa stagione** • 1/3 – 14/7 • 9/9 – 23/12		**Media stagione** • 15/7 – 4/8 • 26/8 – 8/9		**Alta stagione** • 5/8 – 25/8	
	Doppia	Singola	Doppia	Singola	Doppia	Singola
con prima colazione	€ 80	€ 111	€114	€145	€142	€173
con trattamento di mezza pensione	€ 103	€134	€137	€168	€165	€196
con trattamento di pensione completa	€ 121	€152	€155	€186	€183	€214

1ª categoria	first class
l'animazione	entertainment
l'aria condizionata	air conditioning
il balcone	balcony
il buffet verdure	salad bar
la cabina	hut
la camera doppia	twin share
la camera singola	single room
la cassaforte	safe
dispone di	has available
disponibile	available
il frigo bar	bar fridge
fronte mare	beachfront
in affitto	for lease
la mezza pensione	breakfast & dinner
il noleggio	hire
l'ombrellone	beach umbrella
la pensione completa	all meals provided
la piazzola	space
il sacco a pelo	sleeping bag
la sedia a sdraio	sun lounge
i servizi	toilets
il sub	scuba diving
la tariffa	price
la tenda	tent
la terrazza	patio, terrace
il trattamento	service
vista mare	ocean views

Camping Dolomiti di Brenta — locale panoramico nel cuore del Trentino

▲ 200 piazzole con allacciamento di luce, gas, Tv.

▲ Servizi disponibili in un fabbricato centrale

▲ Bagni famiglia in affitto, Lit 18.000 al giorno

▲ Noleggio tende, sacchi a pelo

▲ Il camping dispone di:

  ▼ bar/pizzeria

  ▼ ristorante con colazione a buffet e buffet verdure

  ▼ parco giochi

  ▼ sala ritrovo

  ▼ piscina e campi da tennis

  ▼ animazione

▲ Possibilità di canoa, rafting, trekking, mountain bike

Persone	Camper	Auto	Tenda	7 giorni
	✔	✔	✘	€361
1–2	✘	✔	✔	€258
	✘	✘	✔	€155
	✔	✔	✘	€310
3–4	✘	✔	✔	€206
	✘	✘	✔	€103

20/7 – 25/8

Via Gole 105 – 38025 Dimaro (TN)
Tel. 0463/974331
Fax.0463/973200
e-mail: dolomitibrenta@camping.it

In poche parole

3 Vuoi organizzare una vacanza di una settimana alla bellissima spiaggia di Taormina nella Sicilia. Telefona alla Villa Sant'Andrea per prenotare una camera.

1
- **A** Voglio prenotare una camera **singola** con **trattamento di mezza pensione** a partire dal **20 luglio**.
- **B** Sarà la **media** stagione, quindi la camera costerà **168** euro al giorno.

2
- **A** Vogliamo una camera con **vista mare**.
- **B** Tutte le nostre camere hanno **la vista mare**, e anche **il balcone**.

3
- **A** Voglio rilassarmi. Che cosa offre l'albergo?
- **B** L'albergo dispone di un' ottim**a spiaggia privata**.

4
- **A** Mi piacerebbe imparare un nuovo sport.
- **B** Potrà fare lezioni di **tennis**, se vuole.

A tu per tu

1 Hai cambiato idea: preferisci una vacanza in montagna! Telefona alla direttrice del campeggio Camping Dolomiti di Brenta per avere delle informazioni.

Pronto, Camping Dolomiti di Brenta.

Buongiorno, vorrei fare una settimana di campeggio nelle Dolomiti. Avete una piazzola libera dal 10 agosto al 17?

Mi dispiace, in quel periodo | saremo al completo. / tutti i posti per camper saranno affittati.

Ma non portiamo il camper e l'auto, veniamo in treno. Abbiamo la tenda.
Allora c'è un posto libero dal 28 luglio al 3 agosto?

Allora sì, ci sarà un posto | libero / per tenda | in quel periodo. In quanti sarete?

Saremo in | quattro. / due. | Quanto costerà?

Allora vi costerà | 361 / 310 / 155 / 103 | euro per settimana per | due / quattro | persone in | camper. / tenda.

È un campeggio | molto grande? / ben attrezzato?

Sì, per | i pasti / il relax | abbiamo | un / una | pizzeria. / sala ritrovo. / ristorante. / piscina. / campo da tennis.

Va bene, vorrei prenotare il posto.

Le belle vacanze di Ylenia e Silvia

Ylenia telefona all'amica Silvia per parlare delle loro vacanze.

 Allora, il soggiorno nel Trentino-Alto Adige, come l'hai passato?

 Abbiamo fatto delle gite nelle montagne. I panorami erano stupendi, come in una cartolina!

2

Molto molto bene. Abbiamo trascorso nove giorni nelle Dolomiti e poi qualche giorno a Merano.

 Certo che con la tua forma bestiale tutto quel trekking ti è piaciuto! Tu cammini meglio di tutti! E l'albergo com'era?

1

 L'albergo era piccolino, ma comodo. La mia era la migliore camera dell'albergo, con il balcone che dava sul lago. Il ristorante però non era molto buono. Non preparavano bene nemmeno la pasta. Mamma la prepara meglio!

3
No, peccato! Nemmeno al Palazzo del ghiaccio a Merano.

Merano è una bella città. Lo sapevi che fino al 1919, tutta quella zona era austriaca? Anche oggigiorno la gente qui parla più tedesco che italiano.

4

 Ma senti, hai incontrato il tuo mito, come si chiama? Roberto Sighel?

2

Purtroppo parlo molto male il tedesco, e mamma lo parla anche peggio. Papà ha dovuto fare tutte le spese al mercato.

C'erano tanti bei tirolesi in giro, ma non potevo nemmeno salutarli. Che figuraccia! E tu, Silvia, dimmi come è stata la tua vacanza in Sicilia?

Fantastica! Però il volo a Catania è stato il peggiore della mia vita: turbolenza a non finire, l'aria condizionata che non funzionava...Secondo me l'aereo è peggiore del treno.

Comunque San Leone è un bellissimo paesetto sul mare. Le spiagge erano favolose, e il mare così pulito e fresco! Ho nuotato, ho fatto snorkelling, e ho preso il sole. Adesso sono tutta abbronzata, non sono più bianca come una mozzarella!

Poi abbiamo visitato Agrigento e la Valle dei Templi. Erano così magnifici quei templi greci; quasi quasi dimenticavo di essere ancora in Sicilia. Secondo me sono migliori dei templi del Foro romano.

Agosto è finito, e stanno per cominciare i peggiori mesi dell'anno: quelli della scuola! Meglio pensare alle prossime vacanze! Forse a Natale faremo la settimana bianca nel Ticino!

Impariamo le parole!

Nomi

il ghiaccio	ice
il paesetto	little town
il panorama	view
il piattone	big plate
la settimana bianca	skiing vacation
il soggiorno	stay; trip
il Ticino	Italian-speaking canton of Switzerland
il/la tirolese	German speaker from the Alto Adige area
la turbolenza	turbulence
la valle	valley
la zona	area

Aggettivi

abbronzato	tanned
comodo	comfortable
favoloso	fabulous
migliore	better; best
peggiore	worse; worst
stupendo	amazing

Verbi

dare sul lago	to look out onto lake
prendere il sole	to sunbathe
trascorrere	to spend *(time)*

Espressioni utili

a non finire	never-ending
bianca come una mozzarella	white as snow

Domande

1. Ylenia quali posti ha visitato nella regione Trentino-Alto Adige?
2. Che cosa ha fatto Ylenia durante la sua vacanza?
3. Perché la sua camera era la migliore?
4. Che cosa non le è piaciuto?
5. Perché vuole parlare meglio il tedesco?
6. Perché a Silvia non è piaciuto il volo alla Sicilia?
7. Che cosa ha fatto Silvia durante la sua vacanza?
8. Silvia è un formaggio?
9. Dove andrà per Natale?

In poche parole ④

Paragonate il talento di queste persone.

Read **Studiamo la lingua!**, point 2 on page 96.

Claudio | Ernesto

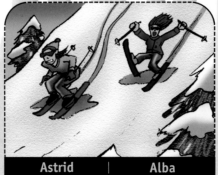

Astrid | Alba

Paola | Edoardo

1
A Secondo me, **Paola balla** bene.
B Sì, **balla** meglio di **Edoardo**.

2
A **Alba scia** male, vero?
B Sì, **scia** peggio di **Astrid**, non ha molto talento.

In poche parole

5 Tu e il tuo amico/la tua amica avete fatto tante vacanze in giro all'Italia. Paragonate i posti che avete visitato.

le spiagge di San Leone

le spiagge di Rimini

gli alberghi di Reggio

gli alberghi della Sardegna

il campeggio Tirolese

il campeggio Mondello

la camera all'Aurora

la camera all'Excelsior

1
A Il campeggio Tirolese è migliore del campeggio Mondello.
B Hai ragione, secondo me è il migliore d'Italia.

2
A Le spiagge di Rimini sono peggiori delle spiagge di San Leone.
B Sì, sono davvero brutte, sono forse le peggiori d'Italia.

3
Compare with your classmate other places you both know.

A tu per tu

② Devi prenotare un volo. Telefona alla consulente dell'Alitalia.

Voli da Roma (L. Da Vinci-Fiumicino) a Berlino (Templehof)

volo	partenza	scalo (Milano Malpensa)	partenza coincidenza		arrivo
AZ1048	07:10		volo diretto		10:20
AZ1020	07:45	09:00	AZ0422	09:45	11:35
AZ1026	11:35	12:50	AZ0426	14:45	16:35
AZ1028	14:55		volo diretto		18:00

Tariffe categoria economy (euro)

	solo andata	andata e ritorno	
		permanenza	
		senza sabato notte	con sabato notte
bassa stagione 01/11 – 31/03	212	248	222
media stagione 01/04–15/06 11/09–31/10	248	292	266
alta stagione 16/06–10/09	294	328	299
feste e ponti	-	-	294

Parole utili

l'andata e ritorno	return flight
la coincidenza	connecting flight
il diretto	direct
la festa	public holiday
la permanenza	overnight stay
il pernottamento	overnight stay
il ponte	long weekend
lo scalo	stopover

Pronto, biglietteria aerea. In cosa posso esserle utile?

Buongiorno, vorrei prenotare un posto per Berlino, per **mercoledì 18 maggio**.

Da dove vuole partire?

Da Roma.

A che ora?

Verso **le otto**, se possibile.

C'è un volo che parte alle **sette e quarantacinque**.

È un volo **diretto**?

No, è un volo **in coincidenza con scalo a Milano**.

E quando arriva a Berlino?

L'arrivo è alle **undici e trentacinque**.

Va bene, quanto costa?

Un biglietto di **andata e ritorno**?

Sì.

Con pernottamento sabato notte?

No.

La tariffa è di **292** euro.

Va bene, posso prenotare adesso?

Senz'altro, un momento che vado allo schermo prenotazioni.

Capitolo 6

A lingua sciolta! 1

Travel agent: Your client needs help to plan a trip to a particular region of Italy. You will need to ask:

- when and for how long the client plans to go
- which particular places the client would like to visit...perhaps you can make some suggestions
- what kind of activities your client enjoys while on holiday
- what kind of accommodation and transportation the client prefers

Client(s): You would like a travel agent's help to plan a vacation in a region of Italy that fascinates you. You will need to discuss:

- when, where and for how long you'd like to go
- what you'd like to see and do
- where you'd like to stay
- your particular requirements

In order to prepare for this conversation, you should find out as much as you can about your chosen region of Italy. The Internet is an excellent source of information about accommodation, transportation, fares, tours, itineraries and so on.

A lingua sciolta! 2

You are a tour guide for your town or neighborhood. You will be showing a group of Italian tourists a particular landmark or point of interest. Prepare and present the talk you would give to them.

Nel 1851 migliaia di cinesi sono arrivati a Melbourne. Volevano cercare oro vicino a Ballarat e Bendigo. Dal 1850 al 1900 la comunità cinese di Melbourne è cresciuta moltissimo. Tanti cinesi vivevano, mangiavano e lavoravano qui in questo quartiere, che si chiamava ormai Chinatown...

...Qui oggigiorno ci sono i migliori ristoranti cinesi, un museo, e anche un cinema che dà film di Hong Kong. La gente di Melbourne viene a vedere le feste e le sfilate tradizionali...

...Vedete quest'arcata? Viene dalla Cina. Vedete le sculture dei draghi e dei leoni? Questi animali sono simboli importantissimi per i cinesi, e il colore rosso è un simbolo di prosperità e di buona fortuna. Se toccate la palla nella bocca del leone, porterà buona fortuna!...

...adesso facciamo una passeggiata lungo il viale, e poi andremo a mangiare in un ottimo ristorantino...

Studiamo la lingua!

1 Il futuro

Italians use the **futuro** to express what they *are going to* do and what they *will* do. Ylenia and her mom use the **futuro** when they plan what they'll do on vacation, where they'll go and how things will be:

Che cosa metterò **in valigia?**	What will I pack in my suitcase?
Ma in estate non potremo **sciare.**	But we won't be able to ski in summer.
Ci saranno **tante cose da fare.**	There will be many things to do.
Anche Bricciola si divertirà!	Even Bricciola will enjoy himself!

The **futuro** is formed by dropping the final **-e** of the infinitive verb, and adding the appropriate endings.

parlare → parler-		credere → creder-		finire → finir-	
io parlerò	I will speak	**io crederò**	I will believe	**io finirò**	I will finish
tu parlerai	you will speak	**tu crederai**	you will believe	**tu finirai**	you will finish
lei/lui/Lei parlerà	she will speak	**lui crederà**	he will believe	**lei finirà**	she will finish
noi parleremo	we will speak	**noi crederemo**	we will believe	**noi finiremo**	we will finish
voi parlerete	you will speak	**voi crederete**	you will believe	**voi finirete**	you will finish
loro parleranno	they will speak	**loro crederanno**	they will believe	**loro finiranno**	they will finish

Note the accents on the first and third person singular forms. The stress here is on the last letter.

With **-are** verbs, the **a** (e.g. in **parl**a**re**) changes to an **e** when adding a future ending, except for **dare**, **fare** and **stare**:

dare	fare	stare
io darò	**io farò**	**io starò**
tu darai	**tu farai**	**tu starai**
lui darà	**lei farà**	**lei starà**
noi daremo	**noi faremo**	**noi staremo**
voi darete	**voi farete**	**voi starete**
loro daranno	**loro faranno**	**loro staranno**

The forms of **essere** in the future are irregular:

essere

io sarò	I will be	**noi saremo**	we will be
tu sarai	you will be	**voi sarete**	you will be
lui/lei/Lei sarà	he/she/you/it will be	**loro saranno**	they will be

Note the spelling of future-tense forms of verbs which end in **-care**, **-gare**, **-ciare**, **-giare**, **-sciare**. You must keep the same sound as in the infinitive:

cercare	pagare	cominciare	mangiare	lasciare
io cercherò	**io pagherò**	**io comincerò**	**io mangerò**	**io lascerò**
tu cercherai	**tu pagherai**	**tu comincerai**	**tu mangerai**	**tu lascerai**
lui cercherà	**lei pagherà**	**lui comincerà**	**lei mangerà**	**lui lascerà**
...	...	...	...	...

In the following verbs, note that the **a** or **e** is dropped before the future-tense ending is added:

and*a*re	→	andr-	→	andrò, andrai, andrà...		
avere	→	avr-	→	...avremo, avrete, avranno		
cadere	→	cadr-	→	cadrò, cadrai, cadrà...		
dovere	→	dovr-	→	...dovremo, dovrete, dovranno		
potere	→	potr-	→	potrò, potrai, potrà...		
sapere	→	sapr-	→	...sapremo, saprete		
vedere	→	vedr-	→	vedrò, vedrai, vedrà...		
vivere	→	vivr-	→	...vivremo, vivrete		

You can also use the **presente** to express a future action, when the present tense verb is accompanied by words such as **domani**, **fra poco**, **la settimana prossima**, **l'anno prossimo**:

Domani facciamo le spese al mercato.	Tomorrow we'll do the shopping at the market.
L'anno prossimo vado a studiare in Germania.	Next year I'll go to study in Germany.
Fra poco mi telefona Claudio.	Claudio will call me soon.

2 La migliore camera dell'albergo

When you say that something is *better* or *worse*, you are making a comparison. When you say that something is *the best* or *the worst*, you are using a superlative. In Italian, when you make a comparison or use a superlative, the word you use depends on whether it is an adjective or an adverb:

Adjective		Comparative adjective		Superlative adjective	
buono	good	**migliore**	better	**il/la migliore**	the best
cattivo	bad	**peggiore**	worse	**il/la peggiore**	the worst
		Sono migliori dei templi del Foro romano.		La mia era la migliore camera dell'albergo.	
		Secondo me l'aereo è peggiore del treno.		Stanno per cominciare i peggiori mesi dell'anno...	

Adverb		Comparative adverb		Superlative adverb	
bene	well	**meglio**	better	**meglio**	the best
male	badly	**peggio**	worse	**peggio**	the worst
		Mamma la prepara meglio.		Tu cammini meglio di tutti!	
		Mamma lo parla anche peggio.		Io canto peggio di tutti!	

3 San Leone è un bel paesetto

In Italian, you can add a suffix to the end of a noun or adjective to add extra meaning. When a suffix is added to a word, the final vowel of the word is dropped. If the noun is feminine plural, the suffix ending is feminine plural too. Here are some common suffixes:

-ino	small, cute	**Quelle ragazzine sono molto bionde.**
-etto	little, cute	**È un bel paesetto.**
-one	big	**quel piattone di lasagne;**
		Vedi quella ragazzona laggiù?
-accio	bad; difficult	**Che figuraccia!**

*Some nouns take **-ino**, and some **-etto**. Check the dictionary first!

Ambientalisti o menefreghisti?

You'll learn how to:

- discuss environmental problems
- express approval or disapproval of your friends' attitudes
- make suggestions and recommendations for protecting the environment
- talk about what volunteers do

You'll find out about:

- Etna, one of the world's most active volcanoes
- environmental concerns in Italy
- volunteer groups in Italy

Riduci, riusa, ricicla

Dopo scuola, alla paninoteca.

Chiara, Giusy, che cosa farete per il compito di geografia?

Andiamo al Parco dell'Etna. Siccome faccio la volontaria ecologica, ho l'ingresso gratis al parco.

Perché non andiamo tutti e cinque all'Etna domenica?

Allora ci verrò anch'io. Scriverò un tema sul vulcano.

Ehi, Giusy, ricordati che le patatine fanno male alla salute!

Va bene, ma speriamo che non ci sarà un'eruzione.

Chiara finisce le sue patatine e butta per terra la carta d'involucro.

Ma cosa fai? Piuttosto che lasciare quella roba per terra, perché non la metti nel bidone?

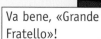

Va bene, «Grande Fratello»!

Non pensi al tuo impatto sull'ambiente?

Se ognuno dei 57 milioni di italiani la pensasse così, saremmo davvero nei guai! Ciascuno di noi deve impegnarsi per salvaguardare l'ambiente.

Ma sono solo un individuo, quello che faccio io non ha nessun'importanza.

Io??! Io non faccio i compiti e perciò non spreco carta; non ho uno scooter e quindi non inquino l'aria con gli scarichi.

Il mio motto è: riduci, riusa, ricicla. E tu, scemo?

Allora cosa fai tu per proteggere l'ambiente, Mister Verde?

Si fa la doccia solo una volta alla settimana per risparmiare acqua.

Ipocrita! Quando ne hai bisogno ti fai prestare il mio!

Allora è colpa tua se contribuisco al riscaldamento del pianeta.

Il giorno dopo, da Chiara. Le ragazze preparano il compito di geografia. Mentre Chiara chiede informazioni a una guida al Parco dell'Etna, Giusy prende degli appunti.

6

Meno male che Caltagirone è a quasi cento chilometri dall'Etna!

È il più grande vulcano d'Europa, sì...alto 3325 metri...uno dei vulcani più attivi della Terra...l'ultima grande eruzione è stata nel 1993...L'Etna rimarrà attiva per ancora molti secoli...

7

Ciao ragazze, cosa fate?

Facciamo il tema sui vantaggi e gli svantaggi dell'ecoturismo al Parco dell'Etna. Adesso ti leggo...

È bella, in gamba, intelligente...

8

«Dato che ogni anno ci sono 450 milioni di turisti in giro per il mondo, dobbiamo essere dei turisti responsabili e consapevoli. L'ecoturista non vorrà sfruttare le risorse naturali...»

I ragazzi stanno per uscire...

Cos'è tutta questa roba?

È da buttare via...e allora?

9

Ma siete delle ipocrite! Parlate del rispetto per la natura e poi create tutti questi rifiuti! Perché usate questa roba usa e getta? Nel futuro berrete da bicchieri di vetro, non di plastica.

Riduci il consumo di risorse e di energia, *riusa* la roba che compri e *ricicla* questi rifiuti! Metti queste cose nei contenitori separati per la raccolta differenziata!

Uffa come sei noioso.

10

Pensa ai buchi nell'ozono...

Guarda che ti farò dei buchi nella testa!

Impariamo le parole!

Nomi

l'appunto	note
il bidone	trash can
il buco	hole
ciascuno	each one
il consumo	consumption
l'ecoturismo	ecotourism
l'eruzione *(f)*	eruption
i guai	trouble
l'impatto	impact
l'individuo	individual
l'ingresso	entry
l'inquinamento	pollution
l'involucro	wrapper
l'ipocrita	hypocrite
ognuno	each one
l'ozono	ozone
il pianeta	planet
la raccolta differenziata	collection of rubbish separated for recycling
il riscaldamento	warming; heating
la risorsa	resource
lo scarico	exhaust

lo svantaggio	disadvantage
la Terra	Earth
il vantaggio	advantage
il volontario	volunteer
il vulcano	volcano

Aggettivi

consapevole	aware
ecologico	ecological
gratis	free of charge
usa e getta	disposable

Verbi

impegnarsi	to commit oneself
inquinare	to pollute
risparmiare	to save
salvaguardare	to safeguard
sfruttare	to exploit
sprecare	to waste

Parole ed espressioni utili

dato che	since
piuttosto che	rather than
riduci, riusa, ricicla	reduce, reuse, recycle
siccome	since

Domande

1. Perché Giusy e Chiara vogliono andare al parco dell'Etna?

2. Che cosa deve fare Chiara con la carta delle patatine?

3. Secondo Giusy, che cosa deve fare l'individuo?

4. Come aiuta Giusy a salvaguardare l'ambiente?

5. E cosa fa Leo?

6. Emanuele è davvero un verde?

7. Secondo te, uno scooter è migliore di una macchina?

8. Perché è speciale il monte Etna?

9. Che cos'è, secondo te, un ecoturista?

10. Perché Leo si arrabbia a casa di Chiara?

11. Quale consiglio le dà per essere più «verde»?

In poche parole

Read **Studiamo la lingua!**, point 1 on page 109.

1 Chi è un ambientalista impegnato? Fai queste domande ai tuoi compagni di classe poi fai queste domande su di loro.

la riunione   la manifestazione

la festa dei Verdi

la marcia di protesta

1
A   Verr**ai** alla **riunione**?
B   Certo che ci verr**ò**.
OPPURE
B   No, non ci verr**ò**. Quella **riunione** non **mi** interessa.

2
A   Verr**anno** alla **marcia di protesta**?
B   Certo che ci verr**anno**.
OPPURE
B   No, non ci verr**anno**. Quella **marcia** non **gli** interessa.

i bicchieri di vetro   i bicchieri di plastica

i bicchieri di polistirene

le lattine in alluminio

3
A   Che cosa far**ai** da brav**a** ambientalist**a**?
B   Berr**ò** solo da**i bicchieri di vetro**.
OPPURE
B   Non berr**ò** più da**i bicchieri di plastica**.

4
A   Che cosa far**à** da brav**o** ambientalist**a**?
B   Berr**à** solo da**lle lattine in alluminio**.
OPPURE
B   Non berr**à** più da**i bicchieri di polistirene**.

In poche parole

2 Certi prodotti è meglio riciclarli...o forse non usarli per niente! Chiedi al tuo compagno di classe di indovinare quanti anni ci vorranno per biodegradare questi rifiuti. Poi prova a indovinare tu. Le risposte sono alla pagina 107.

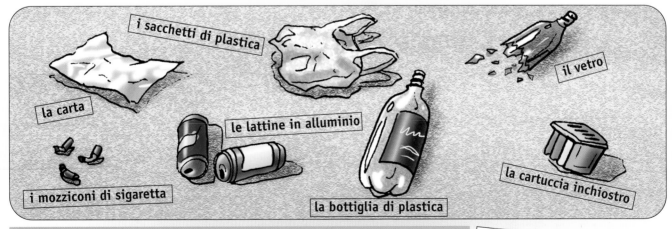

i sacchetti di plastica

la carta

il vetro

i mozziconi di sigaretta

le lattine in alluminio

la bottiglia di plastica

la cartuccia inchiostro

A   Per quanto tempo rimarr**anno** nella terra **i sacchetti di plastica**?
B   Secondo me ci vorr**anno** .... ann**i** per biodegradare **i sacchetti di plastica**.

la cartuccia inchiostro   toner cartridge

A tu per tu

Vuoi diventare un volontario ma prima devi informarti. Telefona alla segreteria di un'associazione di volontariato.

Pronto, | Ente Nazionale Protezione Animali / Telefono Azzurro per Bambini / Legambiente | come posso aiutarla?

Buongiorno, sono | uno / una | studentessa / studente | senza molto esperienza, ma vorrei aiutare a proteggere

i bambini in crisi. / l'ambiente. / gli animali.

La nostra associazione ha bisogno di | molti / parecchi | volontari. | Ogni / Qualsiasi | persona può aiutare.

Allora avete | parecchie / molte | attività di volontariato?

C'è lavoro per tutti: | ognuno / ciascuno / ogni persona | svolge l'attività che | gli / le | piace.

Per esempio, puoi | raccogliere fondi / organizzare un tavolino promozionale | in piazza.

Hmm, | invece di / piuttosto che | fare promozioni / raccogliere fondi | vorrei fare qualcosa di più attivo.

Forse ti piacerebbe | dare soccorso agli animali feriti. / rispondere alle telefonate dei bambini. / aiutare a pulire la spiaggia.

Quello sì che mi sembra interessante.

i fondi	funds
il soccorso	aid
ferito	injured

Allora vieni a trovarci al nostro ufficio, così ti diamo | delle informazioni ulteriori. / un modulo di iscrizione.

Va bene, ci verrò. A proposito, | mio padre / mia madre | è molto | occupata / occupato | al suo lavoro, eppure vuole

contribuire anche | lei / lui | alla difesa | degli / dei / dell' | bambini. / ambiente. / animali. | Che cosa può fare?

Dato che / Siccome | non ha tempo libero, la cosa più facile è di fare una donazione.

Trekking nel parco dell'Etna

Ecco il parco dell'Etna. I ragazzi vogliono scegliere un itinerario che gli permetterà di vedere la flora e la fauna della montagna, e di ammirare i panorami spettacolari dall'altitudine di 2000 metri.

1

BENVENUTI
NEL PARCO DELL'ETNA
QUI LA NATURA E' PROTETTA

Parco
dell'ETNA

2

Uffa, smettetela di guardare quella mappa! È tanto semplice: prendiamo questo sentiero e camminiamo finché arriviamo lassù.

La guardia forestale dice che ci sono parecchi itinerari interessanti.

Hmm, ci sono molte informazioni in questa guida; forse faccio anch'io il compito sull'Etna.

I ragazzi si avviano sul sentiero attraverso il bosco.

3

Speriamo che non sarà troppo faticoso. Lo sapevate che molti fanno un'escursione in fuoristrada invece di camminare, e parecchi in funivia?

Macché, è un percorso di solo quattro ore! Sarà facile! Nessuno può veramente godere la natura incontaminata in fuoristrada. O a piedi o niente!

Come salgono il sentiero ripido, vedono le rocce di lava raffreddata. La maggioranza dei paesini sulla montagna è costruita con queste rocce nere.

Dopo una camminata di due ore, i ragazzi vedono da più vicino uno dei crateri dell'Etna. Il fumo ne fuoriesce continuamente, eppure la cima è sempre coperta di ghiaccio.

4

Incredibile! La terra è calda!

Certo, il vulcano è sveglio, non dorme mai.

5

Finalmente i ragazzi raggiungono il punto di partenza. Mangiano e si riposano.

Impariamo le parole!

Nomi

alcuni/e	some/some people
l'altitudine *(f)*	altitude
altri/e	others/other people
il canestro	basket
la cima	peak
il cratere	crater
il dovere	duty
la funivia	cablecar
la fuoristrada	four-wheel drive
la guardia forestale	ranger
la maggioranza	majority
il/la menefreghista	person who couldn't care less
la metà	half
parecchi/ie	several/several people
il percorso	way; journey
pochi/e	few/few people
il punto di partenza	starting point
la roccia	rock
il sentiero	path

Aggettivi

incontaminato	unspoiled
parecchio	several
ripido	steep
sfinito	exhausted

Verbi

avviarsi	to set off on trip
canzonare	to tease
farlo apposta	to do it on purpose
fuoriuscire	to come out from
godere	to enjoy
incoraggiare	to encourage
indicare	to point out
mirare	to aim
raggiungere	to reach
smettere	to stop

Parole ed espressioni utili

attraverso	through
due terzi	two thirds
eppure	and yet
fare solo chiacchiere	to be all talk
finché	until
lassù	up there
o a piedi o niente!	either on foot or nothing!

Domande

1. Che cosa c'è da vedere nel parco dell'Etna?

2. Che cosa fanno i ragazzi prima di camminare?

3. Quali sono i tre modi di salire sull'Etna?

4. Perché Leo vuole salire a piedi?

5. Come facciamo a sapere che il vulcano è sempre attivo?

6. Che cosa dicono Giusy e Melania per incoraggiare Leo quando è stanco?

7. Perché Leo butta la carta?

8. Perché Chiara e Melania vogliono canzonarlo?

Sorridete!

In poche parole ③

Sei una guardia forestale nel parco dell'Etna. Il direttore ti chiede quello che hanno fatto oggi i visitatori al parco. Rispondi alle sue domande, ma in modo indefinito.

Parco dell'Etna — *Registro Visitatori*

Data: *sabato 11 settembre*   *820* **visitatori**

Attività:

visite all'ufficio informazione	acquisto mappa	noleggio tenda	uso funivia	escursioni guidate		
				in fuoristrada	in mountain bike	a piedi
765 persone	*216*	*306*	*733*	*490*	*95*	*214*

1 A Quanti visitatori hanno **comprato una mappa**?
   B **Parecchi** hanno **comprato una mappa**.

2 A Quanti visitatori hanno fatto un'escursione **in fuoristrada**?
   B **Molti in fuoristrada**, e **altri** l'hanno fatta **a piedi**.

> alcuni
> altri
> molti
> parecchi
> pochi
> tanti

In poche parole ④

Il tuo compagno di classe ammette di agire a volte in modo incosciente. Quali suggerimenti puoi dargli per agire in modo più responsabile per il nostro ambiente?

> Read the article on page 107 before attempting these. →

lasciare la luce accesa quando non serve

usare prodotti usa e getta

buttare via tutto senza pensarci

chiedere sempre un passaggio in auto

When giving advice to your classmate, use the linking words in red, and phrases from the article on page 107.

A   In verità, io spesso **lascio la luce accesa quando non serve**.

B   **Dato che** l'effetto serra diventa sempre peggiore, devi spegnere la luce quando non serve.

OPPURE

B   L'effetto serra diventa sempre peggiore, **perciò** non lasciare la luce accesa quando non serve.

Parole per connettere le tue idee:
- dato che
- siccome
- invece di
- piuttosto che
- senza
- prima di
- perciò
- oppure
- o...o...

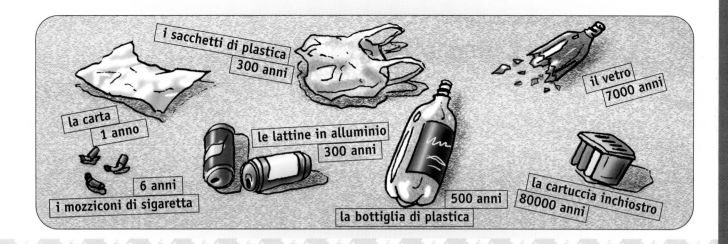

i sacchetti di plastica
300 anni

il vetro
7000 anni

la carta
1 anno

le lattine in alluminio
300 anni

6 anni
i mozziconi di sigaretta

500 anni
la bottiglia di plastica

la cartuccia inchiostro
80000 anni

Il potere dell'individuo...il dovere di tutti

Gli italiani producono 26 milioni di tonnellate di rifiuti solidi ogni anno: troppe! L'unico modo di diminuire questa montagna di rifiuti è di agire a livello personale. Le decisioni più importanti per il futuro della Terra si fanno a casa, nel supermercato, per strada. Tocca ad ognuno di noi lottare contro il consumo eccessivo delle risorse del pianeta.

Bruciamo troppo carbone e petrolio, e tagliamo troppi alberi. L'effetto serra e l'inquinamento dell'aria diventano sempre peggiori. Dobbiamo:

- spegnere la luce, il riscaldamento, l'aria condizionata quando non servono
- usare i mezzi pubblici
- andare a piedi o in bicicletta quando possibile
- non sprecare carta. Ogni anno distruggiamo sempre più foreste per creare carta

Creiamo troppi rifiuti che poi inquinano la terra e il mare. Sprechiamo le nostre risorse invece di conservarle. Invece di buttare via la roba senza pensarci, dobbiamo:

- leggere attentamente le etichette dei prodotti che vuoi comprare. Gli ingredienti e gli imballi sono facilmente riciclabili o biodegradabili?
- evitare di comprare i prodotti usa e getta, tipo rasoi monousa, fazzoletti e

tovaglioli di carta, sacchetti di plastica, tetrapak

- favorire prodotti riusabili e riciclati
- non comprare prodotti con imballi inutili, o di polistirene
- prima di buttare via un oggetto, pensare a riusarlo in modo diverso
- separare attentamente i rifiuti di casa: vestiti, carta, vetro, alluminio, plastica e metterli nei contenitori appositi per la raccolta differenziata

Il buco nell'ozono è un problema grave...

- non usare prodotti e spray che contengono Cfc

Bisogna lottare contro l'indifferenza e l'incoscienza!

- proteggere la storia e la cultura della tua zona
- informarsi sulle cause e gli effetti dell'inquinamento e dei rifiuti, e sulle sostanze pericolose presenti nei prodotti che compriamo
- partecipare nel volontariato ecologico: piantare alberi, pulire spiagge e quartieri, diffondere informazione nella scuola

Certo non è sempre facile vivere in modo ecologicamente sostenibile! Ma è anche pericoloso vivere nell'indifferenza e nell'incoscienza. Il responsabile per l'aria, la terra, il mare, le foreste...sei tu.

il carbone	coal
l'effetto serra	greenhouse effect
il fazzoletto	tissue
l'imballo	wrapping
l'incoscienza	thoughtlessness
il rasoio monousa	disposable razor
la sostanza	substance
la tonnellata	ton
il tovagliolo	napkin
sostenibile	sustainable
agire	to act
bruciare	to burn
creare	to create
diffondere	to spread
evitare di	to avoid
favorire	to prefer
lottare	to fight

A lingua sciolta! 1

Sono «verdi» i tuoi compagni di classe?

There are many questions you can ask your classmates about their attitudes to our environment. Here are some examples:

- **Quante volte la settimana chiedi ai tuoi genitori di darti un passaggio in auto?**
- **Quanti litri di acqua usi al giorno?**
- **La tua famiglia partecipa nella raccolta differenziata? Di quali prodotti?**
- **Quale problema ecologico ti preoccupa di più?**

- **Usi prodotti «usa e getta»? Quali?**
- **La tua famiglia fa del compostaggio?**
- **Sei mai stato ad un Parco Nazionale? Quale?**
- **Che cosa può fare la nostra scuola per proteggere l'ambiente?**

Think of one or two specific questions related to Leo's motto: **riduci**, **riusa**, **ricicla** and use the questions to survey your classmates. Record their answers, and compile them, perhaps in table form. Can you draw some general conclusions about class attitudes? Present your findings to the rest of the class. You may use charts or other visuals to help you.

Quando andiamo in auto invece di usare i mezzi pubblici?
- per andare a scuola = 24%
- per tornare da scuola = 17%
- per tornare dal lavoro = 43%
- per andare dagli amici = 85%
- per andare a fare dello sport = 63%

Come vedete, un quarto della classe viene a scuola in auto invece di venire in pullman...

Pochi tornano a casa in auto, però parecchi chiedono un passaggio a casa dal lavoro...

Siccome le auto contribuiscono all'inquinamento e all'effetto serra, dobbiamo provare ad usarle meno.

A lingua sciolta! 2

Una telefonata ad un'associazione di volontariato

You would like to help people, animals or places in need. You're interested in a particular organization which needs volunteers to take part in its programs. You telephone one of the members of the organization to discuss joining up. During this telephone call, you can talk about:

- what the organization does
- why you would like to take part
- arrangements for meeting the people in the organization, and joining up

- what young volunteers can do to help
- what you are able to do, and when, and where

Vorrei aiutare in qualsiasi modo...Sono disposta a lavorare o sabato pomeriggio, o domenica.

Dato che ti piacciono i bambini, puoi diventare un'animatrice per i piccoli malati in ospedale.

Studiamo la lingua!

1 Verbi irregolari nel futuro

The following verbs are irregular in their spelling, although note that the *endings* are regular:

bere	rimanere	tenere	venire	volere
io berrò	io rimarrò	io terrò	io verrò	io vorrò
tu berrai	tu rimarrai	tu terrai	tu verrai	tu vorrai
lui/lei berrà	lui/lei rimarrà	lui/lei terrà	lui/lei verrà	lui/lei vorrà
noi berremo	noi rimarremo	noi terremo	noi verremo	noi vorremo
voi berrete	voi rimarrete	voi terrete	voi verrete	voi vorrete
loro berranno	loro rimarranno	loro terranno	loro verranno	loro vorranno

2 Parole per connettere le nostre idee

You already know several words used to connect phrases in Italian:

allora	anzi	che	ma	o	se
altrimenti	appena	e	né...né...	perché	senza

Here are some other useful words for linking ideas together:

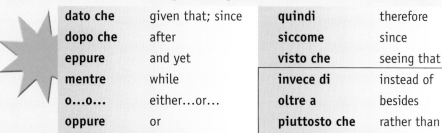

dato che	given that; since	quindi	therefore
dopo che	after	siccome	since
eppure	and yet	visto che	seeing that
mentre	while	invece di	instead of
o...o...	either...or...	oltre a	besides
oppure	or	piuttosto che	rather than
perciò	therefore	prima di	before
però	though	senza	without

these must be followed by a noun or an infinitive verb

Invece di andare in macchina, andiamo in bicicletta!

Siccome faccio la volontaria ecologica, ho l'ingresso gratis al parco.
Since I'm a volunteer for the environment, I get free entrance to the park.
Non faccio i compiti e perciò non spreco carta.
I don't do homework and therefore I don't waste paper.
O a piedi o niente!
Either we go on foot or nothing!

3 Ogni persona ama gli indefiniti

Ma va! Quante storie per alcuni bicchieri di plastica!

Sei una menefreghista!

There are many words you can use to refer to a *particular* person or thing, or *specific* quantity:

Questi ragazzi vanno alla sala giochi ogni weekend.
Voglio comprare quelle. (scarpe)
Abbiamo visto cinquanta turisti nella piazza.

continua

However, when Leo and the others talk about what real 'greenies' do, they aren't being very specific at all:

Pochi sono dei veri ambientalisti come me!
Few people are true greenies like me!
Alcuni fanno chiacchiere, **altri** sono menefreghisti...
Some people are just talk, others couldn't care less...
La guardia forestale mi ha indicato parecchi punti d'interesse...
The park ranger showed me several points of interest...

They are using **indefinite pronouns** and **adjectives** rather than specifying exactly *how many* or *which*. These indefinites are used when you are not referring to **particular** people or things.

indefinite adjectives		
ogni	every	Ogni anno distruggiamo sempre più foreste per la carta.
qualche	some	Abbiamo trascorso qualche giorno a Merano.
qualsiasi	any/any sort of	La cupola si vede da qualsiasi parte della città.

These indefinite adjectives are *invariable*, and can only be used with singular nouns.

indefinite pronouns		
qualcuno/a	someone	Qualcuno ha detto così, vero?
uno/a	one/a person	Nel treno vedo uno che legge sempre lo stesso libro.
ognuno/a	each one, everyone	Se ognuno la pensasse così, saremmo nei guai!
qualcosa	something	Se vuoi comprare qualcosa di firmato, Firenze fa per te.
niente	nothing	O a piedi o niente!

Qualcuno, **uno** and **ognuno** are singular pronouns only.
Qualcosa and **niente** are considered masculine for agreement purposes.

indefinites which can be adjectives OR pronouns		
	adjective	*pronoun*
alcuni/e (*plural only*)	some; a few	some; a few
ciascun/o/a (*singular only*)	each; every	each one
nessun/o/a (*singular only*)	no	no one; none
altro/a/i/e	other	something else; others
molto/a/i/e	much; many	many
parecchio/a/parecchi/parecchie	several	several; a lot
poco/a/pochi/e	little; few	few
quanto/a/i/e	how many/much	how many/much
tanto/a/i/e	many	many
troppo/a/i/e	too many/much	too many/much

4 La maggioranza di italiani è menefreghista?

Here are some words to express quantities:

un quarto	a quarter	**Un quarto degli italiani ricicla il vetro.**
un terzo	a third	**Un terzo della classe ha finito l'esame.**
due terzi	two-thirds	**Due terzi del parco sono aperti al pubblico.**
mezzo	half (*adjective and fraction*)	**Vorrei mezzo chilo di arance, per favore.**
la metà	half (*noun*)	**Forza, abbiamo fatto più della metà del percorso.**
la maggioranza	the majority (*singular noun*)	**La maggioranza dei paesini sulla montagna è costruita con queste rocce nere.**

Il futuro ideale come sarebbe?

You'll learn how to:

- express wishes, preferences and doubts
- make predictions for your friends
- say what you'd like to study in the future
- talk about future career prospects
- try to make a good impression in a job interview
- agree or disagree with others' viewpoints
- describe an ideal world
- state your point of view
- get what you want by making polite requests

You'll find out about:

- jobs and professions in Italy
- the hopes that young Italians have for the future

Cosa fare dopo la maturità?

Melania parla con la professoressa D'Antonio, la consulente d'orientamento.

1

Melania, il tuo test attitudinale indica che per te sarebbe ideale una carriera nel campo scientifico o informatico. Allora, ti piacerebbe l'idea di laurearti in scienze, o in farmacia o medicina?

Secondo mio padre, è più facile fare strada nel settore informatico. Ma è un campo che non mi interessa molto. Preferirei studiare per diventare personal trainer.

2

Fare la personal trainer? Ma non mi sembra una professione seria. Hai ricevuto dei voti ottimi nelle materie scientifiche. Non vorresti avere una laurea in scienze, eh? <<Dottoressa Giuffré>>...non ti piacerebbe un titolo così?

Ma ci sarebbero davvero molti sbocchi professionali con una laurea in scienze? Preferirei ottenere un diploma universitario in scienze motorie. Il fitness è ormai una grande industria. E poi, è la mia passione.

Beh, sì, anche a me piace il fitness, ma un hobby non può sempre diventare una carriera.

3

Ma direi che anche tanti laureati sono disoccupati e non fanno carriera.

Beh, hai ragione, un titolo di studio non basta per trovare un lavoro. Bisogna essere anche flessibili, volenterosi, dinamici. Devi imparare a valorizzarti.

Ti consiglierei di leggere la guida alle università, così puoi informarti sui corsi.

Ce l'ha il tuo amico Leo; gliel'ho data stamattina. Potreste leggerla insieme.

Me la presterebbe per cortesia?

Ha ragione professoressa, devo valorizzarmi, ma ho poca esperienza pratica del lavoro. Noi ragazzi dovremmo avere delle possibilità di lavoro part-time. Potrebbe suggerirmi qualcosa, professoressa?

la Repubblica
AFFARI&FINANZA
Career Book 2000
UNIVERSITÀ
tutta la formazione post-diploma
Edizione aggiornata
400 pagine

• Il mercato del lavoro
• Le schede dei corsi di laurea e di diploma universitario
• La formazione non universitaria
• Studiare all'estero
• Enti per il diritto allo studio
• Internet e Università
• Come mantenersi agli studi
• La guida di 40 univercittà

Anno 4 - n° 1   Maggio 2000   Lit. 16.900   € 8.70

SOMEDIA

Hmm, forse il direttore del Club Antares sarebbe disposto ad offrirmi uno stage. Tanto, mi conosce bene.

Potresti fare una domanda per uno stage estivo presso un'azienda qui a Caltagirone. Forse ce ne sono alcune che avrebbero bisogno di una giovane come te per aiutare in ufficio. Non ti pagherebbero, ma almeno riceveresti una bella esperienza da includere nel tuo curriculum.

Se vuoi, la settimana prossima ti aiuto a scrivere una domanda e preparare il tuo curriculum.

Arrivederci, e nel frattempo pensa ad altre professioni che ti interesserebbero. Farmacista? Medico? Anche gli sportivi hanno bisogno dei medici, sai?

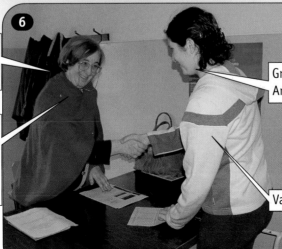

Grazie, mi aiuterebbe molto. Arrivederla, alla settimana prossima.

Va bene, professoressa, ci penserò.

Impariamo le parole!

Nomi

il campo	field
la carriera	career
il/la consulente	consultant, adviser
il curriculum	resume
la domanda	application
la dottoressa (il dottore)	honorary title for person with 5-year degree
la laurea	university degree
il laureato	university graduate
la maturità	Year 12 exams/certificate
l'orientamento	careers guidance
la possibilità	opportunity
la professione	profession
lo sbocco professionale	career opening
il settore	sector
le scienze motorie	health/exercise sciences
lo stage	work experience
il test attitudinale	aptitude test
il titolo di studio	academic qualification

Aggettivi

convinto	convinced
disoccupato	unemployed
disposto a	willing to
lavorativo	work-related
pratico	practical
volenteroso	eager, keen

Verbi

fare carriera	to make a career
fare strada	to go a long way
laurearsi	to get a degree in
offrire	to offer
ottenere	to obtain
valorizzarsi	to make the most of oneself

Espressioni e parole utili

per cortesia	please (polite)
presso	at, with

il campo

agricoltura/agrario	agricultural
amministrativo	administration
artistico	artistic
benessere	well-being
commerciale	business
ecologia	environmental
educativo	care services
informatico	information technology
insegnamento	teaching
intraprendente	private enterprise
letterario	literary

il campo

linguistico	language
medico	medical
pubblica amministrazione	government
sanitario	health
scientifico	scientific
spettacolo	showbusiness
sportivo	sports
tecnico	technical
turistico	tourism

Domande

1. Il padre e la consulente quali professioni consigliano a Melania?

2. Melania è d'accordo con suo padre?

3. Perché preferisce il settore sportivo piuttosto del campo scientifico?

4. La professoressa D'Antonio non è convinta che sia una buon'idea fare la personal trainer. Perché no?

5. Come bisogna essere e cosa bisogna avere per trovare più facilmente lavoro?

6. Quali informazioni si trovano nella guida alle università?

7. Melania che tipo di esperienza lavorativa potrebbe fare?

8. In quale campo ti piacerebbe lavorare?

In poche parole

Read **Studiamo la lingua!**, point 1 on page 125 before attempting these.

1 Vuoi chiedere un favore alla mamma, o all'insegnante...ma devi imparare a chiederlo in modo molto cortese!

dare una proroga

aiutare a scrivere una domanda

1
A Mamma, mi **stiri la camicia**?
B Come hai detto?
A Scusa, mi **stireresti la camicia**, per favore?
B Va bene.

2
A Professore, mi **spiega il compito**?
B Come hai detto?
A Scusi, mi **spiegherebbe il compito**, per piacere?
B Volentieri.

In poche parole

2 Leggi l'oroscopo di queste persone. Queste predizioni sarebbero probabili, secondo te?

LEONE
23 luglio – 23 agosto

Lavoro e studio:
ti arrabbierai con un compagno.

Amore e amicizia:
incontrerai una persona molto interessante.

Salute:
sarai troppo stressato: calmati!

ACQUARIO
21 gennaio – 19 febbraio

Lavoro e studio:
attento – spenderai troppo questo weekend!

Amore e amicizia:
ascolterai i buoni consigli di un'amica.

Salute:
ti sentirai stanco; prova ad andare a letto più presto.

CAPRICORNO
22 dicembre – 20 gennaio

Lavoro e studio:
dimenticherai un appuntamento importante!

Amore e amicizia:
farai bella figura con la persona che ami.

Salute:
attento: mangerai e berrai un po' troppo.

SCORPIONE
23 ottobre – 22 novembre

Lavoro e studio:
aiuterai un compagno con un compito difficile.

Amore e amicizia:
ti divertirai un mondo con un nuovo amico.

Salute:
sarai un po' pigro: non avrai voglia di fare niente!

1
A **Chiara**, secondo l'oroscopo **ti arrabbierai con un compagno**.
B **Io** non **mi arrabbierei** mai **con un compagno**!

2
A L'oroscopo dice che **Giusy ascolterà i buoni consigli di un'amica**.
B Hmm, non so se **Giusy ascolterebbe i buoni consigli di un'amica**.

In poche parole

 3

L'insegnante ti darà una lista di professioni e mestieri. Scegli alcune occupazioni che ti interessano. Chiedi al consulente d'orientamento delle informazioni, non solo per te, ma per alcuni tuoi amici.

Proseguire gli studi?

un titolo di studio post-secondario ti aiuterà a trovare lavoro

- la maturità
- il diploma professionale
- l'apprendistato
- il diploma universitario
- la laurea

Ma quale carriera scegliere?

Per poter decidere meglio, perché non:
- rivolgerti all'ufficio Informagiovani?
- fare uno stage presso una ditta?
- fare il volontario nel settore?
- cercare informazioni ulteriori su Internet?

l'apprendistato	apprenticeship
il diploma professionale	TAFE diploma
il diploma universitario	university course (non-degree)
il mestiere	job
proseguire	to continue
rivolgersi	to apply to

Devi usare non solo **io**, ma anche **lui**, **lei**, **noi** e **loro**.

1
- A **Mi** piacerebbe diventare **grafico**.
- B Per fare **il grafico**, dov**resti** avere il **diploma professionale**.

2
- A **Loro** vorr**ebbero** diventare **infermieri**.
- B Per fare **l'infermiere**, dovr**ebbero** avere **il diploma universitario**.

3
- A Vorr**emmo** capire meglio quest**a professione**.
- B Pot**reste** fare uno stage presso una ditta.

Nomi

la candidatura	application
il chiarimento	clarification
il colloquio	job interview
il/la dipendente	employee
la disposizione	availability
l'impresa	business
l'inserzione *(f)*	advertisement
il requisito	prerequisite
la società edilizia	construction firm

Aggettivi

disponibile	available
eventuale	possible
pratico	experienced

Verbi

allegare	to attach; to enclose
consentire di	to allow
dovere	to owe
proseguire	to continue
ritenere	to believe; to retain
segnalare	to point out
sottoporre	to submit
sviluppare	to develop
svolgere	to carry out; to perform

Parole utili

infine	in conclusion
in grado di	able to

La consulente d'orientamento aiuta Melania a scrivere delle domande di lavoro:

Spett.le Club Antares S.r.l.
C.A. Signor Luigi Alessandrini
via Idrisi 53/55
95041 Caltagirone CT

Caltagirone, 8 novembre 2000

Oggetto: Domanda di stage estivo

Egregio Signor Alessandrini,

sono una studentessa nel 3° anno di liceo scientifico. Spero di ottenere la maturità scientifica e di proseguire gli studi nel campo delle scienze motorie. Frequento da due anni la Sua palestra, e in verità devo la mia ambizione di diventare personal trainer all'entusiasmo e al professionalismo degli istruttori Suoi dipendenti. Per questo gradirei l'esperienza di uno stage, come istruttrice, presso il Club Antares.

Sono pratica degli attrezzi della sala bodybuilding e ho creato un programma personalizzato per alcuni utenti della palestra. Sono anche in grado di fare delle lezioni d'aerobica. Le segnalo infine il mio entusiasmo e la mia grande voglia di imparare, ed è per questo che vorrei svolgere uno stage estivo presso la Sua palestra, anche per lavori di amministrazione.

Sono a Sua disposizione per qualsiasi chiarimento e un eventuale colloquio. Le invio in allegato una copia del mio curriculum vitae.

RingraziandoLa per la Sua cortese attenzione, Le porgo cordiali saluti.

Melania Giuffré ,

Melania Giuffré

via S.M. Goretti, 28
95041 Caltagirone CT

I miei recapiti:
cell.: 349.645.26.08

Spett.le Tecnomed S.r.l.
via Crispi 194
95131 Catania CT

Caltagirone, 12 novembre 2000

Oggetto: Risposta inserzione su "Il Giornale Di Sicilia" del 10/11/00

Spettabile Direzione,

in riferimento all'annuncio in oggetto, desidero sottoporVi la mia candidatura per la posizione di assistente d'ufficio.

Ritengo di avere i requisiti richiesti, e sono disponibile per l'intero periodo estivo. Una recente esperienza di lavoro presso la società edilizia di mio zio, la Giuffré Calatina S.r.l., ha stimolato il mio interesse nel campo dell'economia aziendale e dell'amministrazione delle imprese, e mi ha inoltre consentito di sviluppare la mia competenza nei lavori d'ufficio. Ho una buona conoscenza di inglese, perfezionata attraverso alcuni soggiorni in Inghilterra, e sono anche molto pratica di Pc.

Per ulteriori informazioni allego alla presente il mio curriculum vitae. Sono a Vostra disposizione per qualsiasi chiarimento e per un eventuale colloquio.

RingraziandoVi per la Vostra attenzione, e in attesa di una Vostra cortese comunicazione, Vi invio distinti saluti.

Melania Giuffré ,

Melania Giuffré

via S.M. Goretti, 28
95041 Caltagirone CT

Look for expressions used in formal letters on page 134.

Capitolo 8

E per te come sarebbe il futuro ideale?

Il palco musicale di Caltagirone è uno dei luoghi di ritrovo preferito dai ragazzi.

1

Mela, è vero che vuoi andare a quella manifestazione anti-guerra? Ma è ridicolo.

Ti sbagli. I giovani vittime della guerra hanno bisogno del nostro sostegno, e noi vorremmo darglielo.

E ci saranno anche i ragazzi più belli della 4ª media, vero Mela?

2

Non te la prendere, ma direi che una manifestazione in piazza è tempo sprecato, non risolverebbe niente.

Da un lato hai ragione, però dall'altro, noi faremo non solo una manifestazione ma anche delle donazioni all'associazione Emergency.

Le guerre non mi interessano. Qui in Italia di problemi gravi ce ne sono tanti. La disoccupazione, il razzismo, la droga...i compiti, gli esami...

Giusto! Dovremmo scendere in piazza contro gli esami!

D'accordo, ma è ingiusto ignorare la sofferenza degli altri. In un mondo ideale non ci sarebbero delle guerre, e tocca a noi giovani creare un futuro ideale.

In un mondo ideale diventerei una personal trainer molto richiesta...sarei la manager di una catena di palestre...

3

D'accordo, neanch'io voglio delle guerre. Sono contrario alle guerre. Sono favorevole ad un avvenire pieno di pace, di discoteche, belle ragazze, partite di calcio...

4

E tu Leo, il tuo mondo ideale? Descrivimelo!

Beh, non saprei dirtelo...

Mela, se trovi i miei occhiali da sole, me li porteresti qui?

5 In un mondo ideale, Chiara si innamorerebbe di me...saremmo sempre insieme...diventerei giornalista...viaggerei in giro al mondo...

6 In un mondo ideale, diventerei medico, aiuterei i bambini poveri e malati...un bel ragazzo si innamorerebbe di me...scriverebbe delle poesie e me le leggerebbe...

7 In un mondo ideale giocherei per la Fiorentina...vinceremmo la Coppa Italia...sarei ricco...se un amico volesse qualcosa glielo regalerei...

In un mondo ideale farei la parrucchiera...tutte le attrici famose verrebbero da me. Hai bisogno di un nuovo look. I capelli te li pettino così.

Ehi, raga! In un mondo ideale sarei una rock star, e tutte le ragazze mi adorerebbero!

E ci sarebbero delle manifestazioni per protestare contro la tua musica.

8

9

Aiii! Me li hai rovinati!

Attenta Giusy, stai ignorando la sofferenza degli altri!

Impariamo le parole!

Nomi

l'avvenire (m)	future
la catena	chain
la disoccupazione	unemployment
la donna d'affari	businesswoman
la droga	drug abuse
il/la giornalista	journalist
la guerra	war
la pace	peace
il palco	stage
la parrucchiera	female hairdresser
il razzismo	racism
il ritrovo	meeting place
la sofferenza	suffering
il sostegno	support
la vittima	victim

Aggettivi

grave	serious
ingiusto	unjust
malato	ill
richiesto	in demand

Verbi

ignorare	to ignore
pettinare	to comb
regalare	to give a gift
risolvere	to solve
scendere in piazza	to take to the streets

Espressioni utili

da un lato...dall'altro	on the one hand... on the other
non te la prendere	don't get upset
sono contrario a	I'm against
sono favorevole a	I'm for
stai ignorando	you're ignoring
ti sbagli	you're wrong

In poche parole

 Chiedi al tuo compagno di classe cosa succederebbe in un mondo ideale.

non essere vittime di guerra

non soffrire la fame

non conoscere il razzismo

ribellarsi contro l'ingiustizia

ognuno
nessuno
tutti noi
voi
le persone

A Secondo te, come sarebbe un mondo ideale?

B In un mondo ideale **tutti noi** ci ribelleremmo contro l'ingiustizia.

OPPURE

B In un mondo ideale **voi** non conoscereste il razzismo.

IL MIO NOME È MAIPIÙ

Io non lo so chi c'ha ragione e chi no,
se è una questione di etnia, di economia,
oppure solo follia: difficile saperlo.

Quello che so è che non è fantasia
e che nessuno c'ha ragione e così sia.
A pochi mesi da un giro di boa
per voi così moderno.

**c'era una volta la mia vita
c'era una volta la mia casa**
c'era una volta e voglio che sia ancora

E voglio il nome di chi si impegna
a fare i conti con la propria vergogna
Dormite pure voi che avete ancora sogni,
sogni, sogni.

IL MIO NOME È MAI PIÙ, MAI PIÙ, MAI PIÙ
MAI PIÙ

Eccomi qua, seguivo gli ordini che ricevevo
c'è stato un tempo in cui io credevo
che arruolandomi in aviazione
avrei girato il mondo e fatto bene alla mia
gente
e fatto qualcosa di importante.
In fondo, a me piaceva volare...

C'era un volta un aeroplano, un militare
americano
c'era una volta il gioco di un bambino.
E voglio i nomi di chi ha mentito
di chi ha parlato di una guerra giusta
Io non le lancio più le vostre sante bombe.

**IL MIO NOME E' MAI PIU', MAI
PIU', MAI PIU'**

Io dico sì, dico si può
saper convivere. È dura già, lo so,
Ma per questo il compromesso
è la strada del mio crescere.

E dico sì al dialogo
Perché la pace è l'unica vittoria
l'unico gesto in ogni senso
che da un peso al nostro vivere, vivere,
vivere.

Io dico sì dico si può
cercare pace è l'unica vittoria
l'unico gesto in ogni senso
che darà forza al nostro vivere.

Music and lyrics by Luciano Ligabue, Lorenzo Cherubini (pka Jovanotti), Piero Pelù
©1999 Fuoritempo Edizioni Musicali Srl/Soleluna Edizioni Musicali Srl
For The World:− Warner/Chappell Music Australia Pty Ltd (ABN 63 000 876 068), 3 Talavera Road, North Ryde NSW 2113
International copyright secured. All rights reserved. Unauthorised reproduction is illegal.

In poche parole **5**

I tuoi amici ti chiedono sempre di prestare loro
qualcosa...e a volte sono molto esigenti!

1
A **Mi** daresti **la maglia**, per favore?
B Va bene, **te la** do.

2
A **Lei ha** bisogno del**le magliette**.
B **Gliele** ho già dat**e**.

3
A Da**cci il libro**.
B Non posso dar**velo** perché non ce **l'**ho.

4
A A **loro** non piac**ciono** que**gli occhiali** da sole.
B Ce ne sono de**gli** altr**i**, **gliene** trovo **un paio**.

A tu per tu

 Volete fare una festa a sorpresa per una vostra amica...e c'è molto da organizzare! Avete dimenticato qualcosa?

Allora tutto a posto per la festa domani? Sarà una bella sorpresa per Alessia.

Ma abbiamo pensato a tutto? Dov'è la lista? | Fammela vedere. Dammela.

Ecco, te la leggo...non abbiamo ancora | il regalo / la torta | per Alessia.

Non ti preoccupare, | gliela / glielo | compro / porto | stasera.

E | il hi-fi? / la videocamera? | Roberto | ce la presta? / ce lo da?

Beh, non vuole | darcela / prestarcelo | ma potremmo usare | quello / quella | di Daniela. Me l'ha offert | o / a | oggi.

Non sarebbe meglio | usare / chiederlo / chiederla | a tuo cugino? / la tua? / il tuo?

Ma | quante volte te lo devo ripetere! / gliel'ho già chiesto/a | Non vuole darmelo/a. / È guasta/o.

E | i Cd / le bibite | me | le / li | hai portat | i? / e?

Te ne ho portat | e / i | una dozzina. Allora quando arriva Alessia? Le hai | mandato l'invito? / fatto una telefonata?

Come? Non | dovevi mandarglielo / gliel'hai fatta | tu?

Non ci credo! La festa è in onore di Alessia, ma non l'abbiamo invitata!

In poche parole

6 Caspita! Ecco di nuovo quei tuoi amici esigenti. Hanno ancora delle cose da chiederti. Questa volta puoi decidere o di fare il solito generoso, o di rispondergli di no!

diecimila lire

lo snowboard

i pantaloni firmati

A tu per tu

Tu credi che nel futuro ci sarà la parità totale tra donne e uomini?

Seconde me	le donne avranno più diritti degli uomini!
A mio parere	esiste già la parità.

la parità   equality

Non sono d'accordo con	quello che dici.	C'è ancora molta discriminazione.
Mi sembra un po' esagerato		Le donne hanno ancora molta strada da fare.

Ma direi che	le donne hanno le stesse possibilità di studio e di lavoro.
Non è vero,	ci sono ormai delle leggi contro la discriminazione.

Da un lato	ci sono delle leggi	però devo dire che	le donne	sono spesso pagate molto di meno.
D'accordo	ci sono le possibilità	ma dall'altro		devono ancora lottare per il rispetto.

Sono favorevole	alla	sessismo	ma secondo me
Sono contrario/a	al	libertà delle donne	

c'è meno rispetto per i diritti degli	uomini.
nel futuro sarà più facile essere	donna che uomo.

Ti sbagli,	è ovvio che anche nel futuro	gli uomini avranno più potere e libertà.
Scusa, ma		le donne saranno oggetti e non persone.

Senti,	sarebbe meglio	non parlarne più.
Guarda,		cambiare discorso.

Tanto, non andremo mai d'accordo.

Va bene, vuoi andare	al cinema?
	a fare una passeggiata?
	a farci una pizza?
	a prendere un caffé?

Finalmente un'idea che mi piace!

Inutile parlare con le donne...credono di avere ragione solo loro!

E cosa ci possiamo fare?

Capitolo 8

1

A Mi presteresti **diecimila lire**?

Te **le** presto volentieri.

OPPURE

Uffa! Te **le** ho già prestat**e** una dozzina di volte!

2

A Gli piac**erebbe dei cioccolatini**.

B Gli**ene** comprerei volentieri.

OPPURE

B Gli**ene** ho già comprat**i** ieri.

3

A Ci porteresti **lo snowboard**?

B Va bene, ve **lo** porto domani.

OPPURE

B Mi dispiace, non posso portarve**lo**.

dei cioccolatini

una racchetta da tennis

A lingua sciolta! 1

Interview an Italian speaker about their job, or past job. You could ask questions about:

- what their job involves
- what they enjoy most about the job
- what they studied
- what they dreamed of becoming as a child

- a typical work day
- the disadvantages, if any, of the job
- other work they have done in the past
- what they would like to do in the future

Record the interview for your teacher to listen to. Present a summary of the interview to your classmates.

E quali studi ha fatto per diventare meccanico?

A diciassette anni sono diventato apprendista in un'officina vicino casa mia. Frequentavo anche l'istituto tecnico. Finalmente dopo quattro anni ho ricevuto il diploma di perito meccanico.

Signor Ortensio
Perito Meccanico

Secondo il signor Ortensio, il grande vantaggio del suo lavoro è che lavora in proprio, cioè l'officina è sua. Dall'altro lato però dice che i clienti non sono sempre cortesi.

A lingua sciolta! 2

With a classmate, prepare and present one of the following role-plays:

Option 1: You are a student who must decide which subjects to study in the last years of school. You're pretty unsure about what you'd like to do in the future, and which career options would best suit you. Talk about your future options with the school's career counselor, who will give you some advice and make some suggestions.

Option 2: You have applied for a summer job with a local business/organization. It's time for the job interview. You think you'd be ideal for the position, but the manager isn't quite so sure. The manager tells you what the job involves, and what the prerequisites are, and asks you several questions. Try to sell yourself...but be careful: **non esagerare!**

Nella mia carriera ideale, la paga sarebbe altissima, ma non ci sarebbe bisogno di tanti studi. Questo lavoro mi darebbe la possibilità di viaggiare a posti esotici...

CONSULENTE ORIENTAMENTO

Allora ti consiglierei non di lavorare, ma di vincere la lotteria!

Leggo nel tuo curriculum che hai delle ottime capacità comunicative. Me le puoi descrivere?

Salumi di BOLOGNA S.R.L.

Ho partecipato in parecchie manifestazioni contro la crudeltà agli animali.

Capitolo 8

Studiamo la lingua!

The Italian **condizionale** is used in the same way as the English *would* + verb.

Una qualifica in scienze ti offrirebbe molte possibilità di carriera.
A science qualification would offer you many career opportunities.

The **condizionale** is formed by dropping the final **-e** of the infinitive and then adding the endings:

parlare ➔ parler		credere ➔ creder		finire ➔ finir	
io parlerei	I would speak	**io crederei**	I would believe	**io finirei**	I would finish
tu parleresti	you would speak	**tu crederesti**	you would believe	**tu finiresti**	you would finish
lei/lui parlerebbe	she would speak	**lui crederebbe**	he would believe	**lei finirebbe**	she would finish
noi parleremmo	we would speak	**noi crederemmo**	we would believe	**noi finiremmo**	we would finish
voi parlereste	you would speak	**voi credereste**	you would believe	**voi finireste**	you would finish
loro parlerebbero	they would speak	**loro crederebbero**	they would believe	**loro finirebbero**	they would finish

Note that the spelling of the first part of the verb is the same as that for the **futuro**. The **condizionale** keeps the same stem as the **futuro** for **essere** and the irregular verbs too:

essere		avere	
io sarei	I would be	**io avrei**	I would have
tu saresti	you would be	**tu avresti**	you would have
lui/lei sarebbe	he/she/it would be	**lui/lei avrebbe**	he/she/it would have
noi saremmo	we would be	**noi avremmo**	we would have
voi sareste	you would be	**voi avreste**	you would have
loro sarebbero	they would be	**loro avrebbero**	they would have

Non ti pagherebbero.   **Tutte le attrici famose verrebbero da me.**
They wouldn't pay you.   All the famous actresses would come to my salon.

1 The **condizionale** is used when expressing wishes, preferences and uncertainties, in much the same way that you use *would* in English. Be careful, though, because sometimes in English you use *would* in this way:

I remember that during summer we **would swim** in the lake. ⎱ Here you would use the **imperfetto**, because you
Mi ricordo che durante l'estate nuotavamo nel lago. ⎰ are talking about a habitual action in the past.

2 **Potere** in the conditional form is used to express *could*:
Potreste leggerla insieme.
You could read it together.

3 **Dovere** in the conditional form is used to express *should*:
Dovremmo scendere in piazza contro gli esami!
We should demonstrate against exams!

4 As in English, the **condizionale** is also used to express polite requests:
Potrebbe suggerirmi qualcosa, professoressa?
Could you suggest something for me, Mrs. D'Antonio?
Me la presterebbe, per cortesia?
Could you lend it to me, please?
Mela, se trovi i miei occhiali da sole, me li porteresti qui?
Mela, if you find my sunglasses, could you bring them to me?

Capitolo 8

Look at Giusy's request to Melania:

Mela, se trovi i miei occhiali da sole, me li porteresti qui?

You will note that the verb **portare** has both a direct object **li** (meaning **gli occhiali da sole**) and an indirect object pronoun **mi** (meaning **a me**). When a verb requires two object pronouns, they are combined together in the following way:

indirect object \ direct object	lo	la	li	le	ne
mi	me lo	me la	me li	me le	me ne
ti	te lo	te la	te li	te le	te ne
gli	glielo	gliela	glieli	gliele	gliene
le	glielo	gliela	glieli	gliele	gliene
Le	glielo	gliela	glieli	gliele	gliene
ci	ce lo	ce la	ce li	ce le	ce ne
vi	ve lo	ve la	ve li	ve le	ve ne
gli/loro	glielo	gliela	glieli	gliele	gliene

Pronoun combinations must follow certain rules:

1 The indirect object must come before the direct object.

2 **Ne** always comes last in a combination.

3 In a combination **mi**, **ti**, **ci** and **vi** change to **me**, **te**, **ce** and **ve**. When the combination is in front of the verb, the pronouns remain separate.

Scriverebbe delle poesie e me le leggerebbe.	He would write poems and he would read them to me.
Te li pettino così.	I'll comb your hair like this.

4 Third person indirect object pronouns **gli**, **le**, **Le** and **loro** all become **glie** and are always attached to the direct object pronoun.

Se un amico volesse qualcosa glielo regalerei.	If a friend wanted something, I'd give it to him.
Il libro per Sara? Glielo voglio dare oggi.	The book for Sara? I want to give it to her today.
Quando i bambini chiedono attenzione gliela diamo.	When children want attention, we give it to them.

5 When using a pronoun combination with the **passato prossimo**, the participle must still agree in number and gender with the direct object pronoun.

Gliel'ho data stamattina. (la guida)	I gave it to him this morning. (*the guidebook*)
Me li hai rovinati! (i capelli)	You've ruined it. (*my hair*)

6 **C'è**, **ci sono**, **c'era**, **c'erano** and other forms of **ci + essere** often need a **ne** meaning *some* or *any*. The **ci** becomes **ce** and the **ne** comes after it.

Forse ce ne sono alcune [*aziende*] che avrebbero bisogno di una giovane come te.
Perhaps **there** are **some** which would need a young person like you.

Volete della carne? Mi dispiace, non ce n'è.	Do you want meat? I'm sorry, **there** isn't **any**.
Di problemi gravi ce ne sono tanti.	Serious problems? **There are** many of **them**.

7 Pronoun combinations are placed *before* a conjugated verb:

I capelli te li pettino così.	I'll comb **your** hair **for you** like this.

They are attached to the end of an infinitive or a **tu**, **noi** or **voi** imperative:

Noi vorremmo darglielo.
Non saprei dirtelo.
Descrivimelo!

Note that the pronouns must always join together when attached to the end of a verb.

When speaking colloquially, and a direct object pronoun is used with **avere**, **ce** is added, although it has no meaning:

Ce l'ha il tuo amico Leo.	Your friend Leo has it.
Chi aveva il motorino? Ce l'avevo io.	Who had a scooter? I had one.

Summary of key language structures

Verbi

L'imperativo (Imperative)

	-are **guardare**	-ere **leggere**	-ire **dormire**	-ire (-isc-) **finire**
tu	guarda! non guardare!	leggi! non leggere!	dormi! non dormire!	finisci! non finire!
noi	guardiamo! non guardiamo!	leggiamo! non leggiamo!	dormiamo! non dormiamo!	finiamo! non finiamo!
voi	guardate! non guardate!	leggete! non leggete!	dormite! non dormite!	finite! non finite!

	alzarsi	**sedersi**	**divertirsi**
tu	alzati! non alzarti!	siediti! non sederti!	divertiti! non divertirti!
noi	alziamoci! non alziamoci!	sediamoci! non sediamoci!	divertiamoci! non divertiamoci!
voi	alzatevi! non alzatevi!	sedetevi! non sedetevi!	divertitevi! non divertitevi!

	essere	**avere**
tu	sii! non essere!	abbi! non avere!
noi	siamo! non siamo!	abbiamo! non abbiamo!
voi	siate! non siate!	abbiate! non abbiate!

	andare	**dare**	**dire**	**fare**	**stare**
tu	va' ! vacci!	da' ! dammelo!	di' ! dille!	fa' ! fallo!	sta' ! stammi bene!
noi	andiamo!	diamo!	diciamo!	facciamo!	stiamo!
voi	andate!	date!	dite!	fate!	state

L'imperfetto (Imperfect)

-ARE verbs		-ERE verbs		-IRE verbs	
parlare		**legg**ere		**dorm**ire	
io parlavo	I was speaking	**io legg**evo	I was reading	**io dorm**ivo	I was sleeping
tu parlavi	you were speaking	**tu legg**evi	you were reading	**tu dorm**ivi	you were sleeping
lui/lei parlava	he/she was speaking	**lui/lei legg**eva	he/she was reading	**lui/lei dorm**iva	he/she was sleeping
noi parlavamo	we were speaking	**noi legg**evamo	we were reading	**noi dorm**ivamo	we were sleeping
voi parlavate	you were speaking	**voi legg**evate	you were reading	**voi dorm**ivate	you were sleeping
loro parlavano	they were speaking	**loro legg**evano	they were reading	**loro dorm**ivano	they were sleeping

In the table above, the underlined vowel is the stressed one.

essere		avere	
io <u>e</u>ro	I was	**io** av<u>e</u>vo	I had
tu <u>e</u>ri	you were	**tu** av<u>e</u>vi	you had
lui/lei <u>e</u>ra	he/she was	**lui/lei** av<u>e</u>va	he/she had
noi erav<u>a</u>mo	we were	**noi** avev<u>a</u>mo	we had
voi erav<u>a</u>te	you were	**voi** avev<u>a</u>te	you had
loro <u>e</u>rano	they were	**loro** av<u>e</u>vano	they had

dare	bere	fare	dire
io d<u>a</u>vo	io bev<u>e</u>vo	io fac<u>e</u>vo	io dic<u>e</u>vo
tu d<u>a</u>vi	tu bev<u>e</u>vi	tu fac<u>e</u>vi	tu dic<u>e</u>vi
lei/lui d<u>a</u>va	lei/lui bev<u>e</u>va	lei/lui fac<u>e</u>va	lei/lui dic<u>e</u>va
noi dav<u>a</u>mo	noi bevev<u>a</u>mo	noi facev<u>a</u>mo	noi dicev<u>a</u>mo
voi dav<u>a</u>te	voi bev<u>e</u>vate	voi facev<u>a</u>te	voi dicev<u>a</u>te
loro d<u>a</u>vano	loro bev<u>e</u>vano	loro fac<u>e</u>vano	loro dic<u>e</u>vano

In the tables above, the underlined vowel is the stressed one.

The **imperfetto** and the **passato prossimo** can be used in the same sentence or paragraph, but they are used to describe *different* types of past events. When you use the **imperfetto**, you are emphasizing that the action/state/feeling was taking place *over a period of time*. When you use the **passato prossimo**, you are emphasizing the fact that the action *happened and is completed*, and not how long it took.

The **imperfetto** is used to set the scene, and describe background events and circumstances, while the **passato prossimo** is used to say what happened.

Il futuro (Future)

parlare ➜ parler-		credere ➜ creder-		finire ➜ finir-	
io parlerò	I will speak	**io** crederò	I will believe	**io** finirò	I will finish
tu parlerai	you will speak	**tu** crederai	you will believe	**tu** finirai	you will finish
lei/lui/Lei parlerà	she will speak	**lui** crederà	he will believe	**lei** finirà	she will finish
noi parleremo	we will speak	**noi** crederemo	we will believe	**noi** finiremo	we will finish
voi parlerete	you will speak	**voi** crederete	you will believe	**voi** finirete	you will finish
loro parleranno	they will speak	**loro** crederanno	they will believe	**loro** finiranno	they will finish

essere		avere		dare	fare	stare
io sarò	I will be	**io** avrò	I will have	io darò	io farò	io starò
tu sarai	you will be	**tu** avrai	you will have	tu darai	tu farai	tu starai
lui/lei/Lei sarà	he will be	**lui/lei** avrà	she will have	lui darà	lei farà	lei starà
noi saremo	we will be	**noi** avremo	we will have	noi daremo	noi faremo	noi staremo
voi sarete	you will be	**voi** avrete	you will have	voi darete	voi farete	voi starete
loro saranno	they will be	**loro** avranno	they will have	loro daranno	loro faranno	loro staranno

cercare	pagare	cominciare	mangiare	lasciare
io cercherò	io pagherò	io comincerò	io mangerò	io lascerò
tu cercherai	tu pagherai	tu comincerai	tu mangerai	tu lascerai
lui cercherà	lei pagherà	lui comincerà	lei mangerà	lui lascerà
…	…	…	…	…

bere	rimanere	tenere	venire	volere
io berrò	io rimarrò	io terrò	io verrò	io vorrò
tu berrai	tu rimarrai	tu terrai	tu verrai	tu vorrai
lui/lei berrà	lui/lei rimarrà	lui/lei terrà	lui/lei verrà	lui/lei vorrà
noi berremo	noi rimarremo	noi terremo	noi verremo	noi vorremo
voi berrete	voi rimarrete	voi terrete	voi verrete	voi vorrete
loro berranno	loro rimarranno	loro terranno	loro verranno	loro vorranno

In the following verbs, note that the **a** or **e** is dropped before the future-tense ending is added:

and*are*	➔	andr-	➔	andrò, andrai, andrà…	potere	➔	potr-	➔	potrò, potrai, potrà…
avere	➔	avr-	➔	…avremo, avrete, avranno	sapere	➔	sapr-	➔	…sapremo, saprete
cadere	➔	cadr-	➔	cadrò, cadrai, cadrà…	vedere	➔	vedr-	➔	vedrò, vedrai, vedrà…
dovere	➔	dovr-	➔	…dovremo, dovrete, dovranno	vivere	➔	vivr-	➔	…vivremo, vivrete

Il condizionale (Conditional)

parlare ➔ parler		credere ➔ creder		finire ➔ finir	
io parlerei	I would speak	io crederei	I would believe	io finirei	I would finish
tu parleresti	you would speak	tu crederesti	you would believe	tu finiresti	you would finish
lei/lui parlerebbe	she would speak	lui crederebbe	he would believe	lei finirebbe	she would finish
noi parleremmo	we would speak	noi crederemmo	we would believe	noi finiremmo	we would finish
voi parlereste	you would speak	voi credereste	you would believe	voi finireste	you would finish
loro parlerebbero	they would speak	loro crederebbero	they would believe	loro finirebbero	they would finish

essere		avere	
io sarei	I would be	io avrei	I would have
tu saresti	you would be	tu avresti	you would have
lui/lei sarebbe	he/she/it would be	lui/lei avrebbe	he/she/it would have
noi saremmo	we would be	noi avremmo	we would have
voi sareste	you would be	voi avreste	you would have
loro sarebbero	they would be	loro avrebbero	they would have

andare	dovere	potere	volere
io andrei	io dovrei	io potrei	io vorrei
tu andresti	tu dovresti	tu potresti	tu vorresti
lui/lei andrebbe	lui/lei dovrebbe	lui/lei potrebbe	lui/lei vorrebbe
noi andremmo	noi dovremmo	noi potremmo	noi vorremmo
voi andreste	voi dovreste	voi potreste	voi vorreste
loro andrebbero	loro dovrebbero	loro potrebbero	loro vorrebbero

thing liked is singular		
a me OR mi	piace	like it
a te OR ti	è piaciuto	liked it
a lui OR gli	è piaciuta	liked it
a lei OR le	piaceva	used to like it
a noi OR ci	piacerà	will like it
a voi OR vi	piacerebbe	would like it
a loro OR gli		

thing liked is plural		
mi	piacciono	like them
ti	sono piaciuti	liked them
gli	sono piaciute	liked them
le	piacevano	used to like them
ci	piaceranno	will like them
vi	piacerebbero	would like them
gli		

Pronomi

direct object pronouns		
io	mi	me
tu	ti	you
lui/esso	lo	him/it
lei/essa	la	her/it
Lei	La	you
noi	ci	us
voi	vi	you
loro/essi	li	them *(m)*
loro/esse	le	them *(f)*

indirect object pronouns		
a me	mi	to/for me
a te	ti	to/for you
a lui	gli	to/for him
a lei	le	to/for her
a Lei	Le	to you
a noi	ci	to/for us
a voi	vi	to/for you
a loro	gli/loro*	to/for them

*loro is used only in writing and goes after the verb

	This	can be replaced with	to become:
in/a + noun	Noi andiamo **a Bologna.** Metto i soldi **nel portafogli.**	ci	Noi **ci** andiamo. **Ci** metto i soldi.
di/da + noun	Vuoi del **caffè?** Loro sono usciti **dal negozio.**	ne	**Ne** vuoi? Loro **ne** sono usciti.

object pronoun combinations					
indirect object \ direct object	**lo**	**la**	**li**	**le**	**ne**
mi	me lo	me la	me li	me le	me ne
ti	te lo	te la	te li	te le	te ne
gli	glielo	gliela	glieli	gliele	gliene
le	glielo	gliela	glieli	gliele	gliene
Le	glielo	gliela	glieli	gliele	gliene
ci	ce lo	ce la	ce li	ce le	ce ne
vi	ve lo	ve la	ve li	ve le	ve ne
gli/loro	glielo	gliela	glieli	gliele	gliene

Use indirect object pronouns with these verbs:

bastare a	to be enough for	insegnare a	to teach *(someone)* to
chiedere a	to ask someone	parlare a	to speak to
credere a	to believe in	piacere a	to be pleasing to
dare a	to give to	rassomigliare a	to resemble
dire a	to say to; tell	rispondere a	to reply to
fare bene	to be good for	scrivere a	to write to
fare male a	to do harm to; to be harmful for	spiegare a	to explain to
interessarsi a	to be interested in	stare bene a	to suit
imprestare a	to lend to	telefonare a	to telephone

disjunctive pronouns

me	me; myself	noi	us; ourselves
te	you; yourself	voi	you; yourselves
Lei	you	loro	them *(people)*
lui	him	essi/e	them *(things)*
lei	her	sé	themselves
esso/a	it		
sé	yourself *(polite)*, himself, herself, itself, oneself		

indefinite pronouns

alcuni/e *(plural only)*	some; a few
altro/a/i/e	something else; others
ciascun/o/a *(singular only)*	each one
molto/a/i/e	many
nessun/o/a *(singular only)*	no-one; none
niente	nothing
ognuno/a *(singular only)*	each one, everyone

indefinite pronouns

parecchio/a/parecchi/parecchie	several; a lot
poco/a/pochi/e	a few
qualcosa	something
qualcuno/a *(singular only)*	someone
tanto/a/i/e	many
troppo/a/i/e	too many/much
uno/a *(singular only)*	one/a person

qualcosa and **niente** are considered masculine for agreement purposes

Nomi

nouns ending in -ma

il problema	i problemi
il programma	i programmi
il sistema	i sistemi
il telegramma	i telegrammi

parts of the body

il labbro	le labbra	il ginocchio	le ginocchia
il dito	le dita	l'osso	le ossa
il braccio	le braccia	il ciglio	le ciglia
la mano	le mani	il membro	le membra
l'orecchio	le orecchie	l'ala	le ali

Suffissi comuni (Common suffixes)

-ino	small, cute	**Quelle ragazzine sono molto bionde.**
-etto	little, cute	**È un bel paesetto.**
-one	big	**quel piattone di lasagne; Vedi quella ragazzona laggiù?**
-accio	bad; difficult	**Che figuraccia!**

*Some nouns take **-ino**, and some **-etto**. Check the dictionary first!

Aggettivi

Aggettivi indefiniti (Indefinite adjectives)

ogni	every
qualche	some
qualsiasi	any/any sort of

These indefinite adjectives are **invariable**, and can only be used with singular nouns.

alcuni/e (*plural only*)	some; a few
altro/a/i/e	other
ciascun/o/a (*singular only*)	each; every
molto/a/i/e	much; many
nessun/o/a (*singular only*)	no
parecchio/a/parecchi/parecchie	several
poco/a/pochi/e	little; few
quanto/a/i/e	how many/much
tanto/a/i/e	many
troppo/a/i/e	too many/much

Numeri ordinali (Ordinal numbers)

primo	1°	first	**sesto**	6°	sixth
secondo	2°	second	**settimo**	7°	seventh
terzo	3°	third	**ottavo**	8°	eighth
quarto	4°	fourth	**nono**	9°	ninth
quinto	5°	fifth	**decimo**	10°	tenth

For all other numbers:

Drop the final vowel of the number	and add **-esimo**	
undic**i**	→ undic**esimo**	eleventh
dodic**i**	→ dodic**esimo**	twelfth
vent**i**	→ vent**esimo**	twentieth
quarantacinqu**e**	→ quarantacinqu**esimo**	forty-fifth

quello e *bello*

In front of...	masculine singular	masculine plural	feminine singular	feminine plural
...noun beginning with a consonant	**quel** libro **bel** libro	**quei** libri **bei** libri	**quella** casa **bella** casa	**quelle** case **belle** case
...noun beginning with **z, ps, gn** or **s** followed by a consonant	**quello** studente **bello** studente	**quegli** studenti **begli** studenti	**quella** zia **bella** zia	**quelle** zie **belle** zie
...noun beginning with a vowel	**quell'**albero **bell'**albero	**quegli** alberi **begli** occhi	**quell'**attrice **bell'**attrice	**quelle** attrici **belle** attrici

Comparativi e superlativi irregolari

(Irregular comparative and superlative adjectives and adverbs)

Adjective		Comparative adjective		Superlative adjective	
buono	good	**migliore**	better	**il/la migliore**	the best
cattivo	bad	**peggiore**	worse	**il/la peggiore**	the worst
		Sono migliori dei templi del Foro romano.		La mia era la migliore camera dell'albergo.	
		Secondo me l'aereo è peggiore del treno.		Stanno per cominciare i peggiori mesi dell'anno...	

Adverb		Comparative adverb		Superlative adverb	
bene	well	**meglio**	better	**meglio**	the best
male	badly	**peggio**	worse	**peggio**	the worst
		Mamma la prepara meglio.		Tu cammini meglio di tutti!	
		Mamma lo parla anche peggio.		Io canto peggio di tutti!	

Forme negative (Negative forms)

non...affatto	not...at all	**non...nemmeno** OR **neanche**	not...even
non...ancora	not...yet	**non...nessuno**	not...anybody; no one
non...mai	never	**non...niente** OR **nulla**	not...anything; nothing
non...né...né	neither...nor	**non...più**	not...any longer; any more
		niente	no (adjective in front of noun)

Espressioni con avere, fare, dare e stare

(Expressions with avere, fare, dare and stare)

avere *X* anni	to be *X* years old	fare finta di	to pretend to
avere bisogno di	to need	fare il muso	to pout
avere caldo	to feel hot	fare la fila	to wait in line
avere fame	to be hungry	fare il/ la + *adjective*,	to be + *adjective*
avere freddo	to feel cold	e.g. **fare lo stupido**	to act stupid
avere fretta	to be in a hurry	fare quattro passi	to take a short walk
avere fiducia	to have confidence	farsi coraggio	to build up courage
avere pazienza	to be patient	fare una domanda	to ask a question
avere paura	to be afraid	fare una fotografia	to take a photo
avere ragione	to be right	dare del tu	to use **tu** instead of **Lei**
avere sete	to be thirsty	dare il benvenuto	to welcome
avere sonno	to be sleepy	dare sui nervi	to annoy
avere torto	to be wrong	dare una festa	to throw a party
avere voglia di	to feel like	dare una mano	to help
fare alla romana	to pay one's own way	dare un esame	to sit an exam
fare attenzione	to pay attention	stammi a sentire!	listen to me!
non fare complimenti!	don't be shy!	stare per + *infinitive*	to be about to + *infinitive*
fare colazione	to have breakfast	stare tranquillo	to stay calm
fare dieta	to be on a diet		

Formule per lettere (Writing a formal letter)

AT THE START

A chi di competenza	To whom it may concern
C.A.	Att:
Oggetto:	Re:
Spettabile (Spett.le)	Esteemed

GREETINGS

Egregio	Dear *(for man)*
Gentile	Dear *(for woman)*
Gentili Signori	Dear Sirs
Spettabile Direzione	To the Management

INTRODUCTION

In riferimento a	With reference to
In risposta alla Sua/Vostra lettera (email; telefonata)	In reply to your letter
Sono lieto/a di	I am pleased to
Sono spiacente di	I regret to
Vorrei informarLa/Vi che...	I wish to inform you

IN THE BODY OF THE LETTER

Desidero	I wish to
Gradirei	I would appreciate
La/Vi pregherei di...	I would ask you to
La/Vi ringrazio di...	I thank you for
Le/Vi invio in allegato	I am enclosing
Potrebbe/Potreste gentilmente...?	Would you kindly...?
Sono a Sua/Vostra disposizione	I am at your disposal

CONCLUSION

In attesa di una Sua/Vostra cortese comunicazione	Hoping to hear from you
Mi scuso per l'eventuale disturbo	I hope this is not inconvenient
RingraziandoLa/Vi per la Sua/Vostra cortese attenzione	Thanking you for your attention
Seguono i miei recapiti	I can be contacted at:

CLOSING

Con i migliori saluti	Best wishes; Regards
Le/Vi invio distinti saluti	Yours sincerely
Le/Vi porgo cordiali saluti	Cordially yours

Vocabolario
italiano/inglese

A

a to, at

abbastanza enough

abbordare to hit on, to flirt with

abbracciare to hug, embrace

abbronzato tanned

l'abitante *(m)* inhabitant

abitare to live

accanto a next to, right near

accelerato quickened

accidenti! darn!

accompagnare
   to go with, take

l'acqua water

acquatico water *(adj)*

acquistare buy

addormentarsi to fall asleep

adesso now

l'aereo plane

l'aerobica aerobics

l'aeroporto airport

gli affari business

affatto not at all

affettuoso affectionate

affidabile trustworthy

affittare to rent
   in affitto leased

l'agente di viaggi travel agent

l'agenzia viaggi travel agency

aggiornato up-to-date

agile agile

agire to act

l'agnello lamb

agosto August

aiutare to help

l'albergo hotel

l'albero tree

alcuni/e some *(adj)*

alcuni/e some people *(noun)*

allegare to attach; to enclose

allegro happy

allenarsi to train, work out

l'allenatore *(m)* coach

l'alloggio accommodation

allora then, all right then!

almeno at least

l'alta stagione high season

l'altitudine *(f)* altitude

alto high, tall

altri/e others *(noun)*

altro other *(adj)*

alzarsi to get up

amare to love

l'ambiente *(m)* environment

ambizioso ambitious

l'ambulanza ambulance

amichevole friendly

l'amicizia friendship

l'amico/a friend
   gli amici per la pelle
   close friends

ammalato sick

ammettere to admit

ammirare to admire

l'amore *(m)* love

anche also

ancora yet; still

andare to go
   ti va di...?
   do you feel like...?
   va bene all right, O.K.

andare a piedi to walk

andarsene to go away
   noi ce n'andiamo
   we're going

l'andata e ritorno return trip

l'anello ring

l'animale *(m)* animal

l'anno year

annoiarsi to get bored

antico ancient

antipatico annoying, a pain

l'antiquariato antiques

antiquato old-fashioned

aperto open

l'appartamento
   apartment

appassionato
   avidly interested

appena just; hardly

l'appuntamento
   appointment, date

l'appunto note

aprile April

l'aquila eagle

arancione orange *(colour)*

l'arbitro umpire, referee

l'aria air
   darsi delle arie
   to put on airs

l'aria condizionata
   air conditioning

l'armonia harmony

arrabbiarsi to become angry

arrabbiato angry

arrivare to arrive

arrivederci
   goodbye, see you later

l'arrivo arrival

arrogante arrogant

l'artigianato
   handicrafts; craftwork

l'artigiano craftsman, artisan

artistico artistic

ascoltare to listen (to)

l'asino donkey

aspettare to wait

l'aspirina aspirin

l'assistenza assistance

l'astuccio pencil case

l'atletica athletics

attentamente carefully

attirare to attract; interest

l'attività pomeridiana
   afternoon activity *(elective)*

attraverso through

l'attrezzo equipment; machine

auguri congratulations
   tanti auguri!
   congratulations!;
   happy birthday!

l'aula classroom

l'Austria Austria

austriaco Austrian

l'autista *(m, f)* driver

l'auto(mobile) *(f)* car

l'autobus *(m)* bus

l'autografo autograph

automatico automatic

l'automobilista *(m, f)*
   motorist

l'autostrada freeway

avanti! come in!

avanzato advanced

avere to have
   abbi fiducia in te stesso/a
   be confident
   abbi pazienza! be patient!
   avere bisogno di to need
   avere fame to be hungry
   avere paura di to be scared of
   avere ragione to be right
   avere sete to be thirsty
   avere sonno to be sleepy
   avere torto to be wrong

l'avvenire *(m)* future

l'avventura adventure

l'avversario opponent

avviarsi to set off *(on trip)*

avvicinarsi to approach

azzurro blue

B

il bacio kiss

i baffi whiskers, moustache

il bagnino lifeguard

il bagno bathroom

il balcone balcony

ballare to dance

la ballerina dancer

il bambino/a child, baby

banale
   uninteresting; commonplace

la banana banana

la banca bank

la bancarella stall

il bancomat
   ATM, ATM card

la banda group

la bandiera flag

la barba beard
   farsi la barba to shave

la barca boat

la barca a vela sailing boat

la barzelletta joke

il baseball baseball

il basilico basil

il basket basketball

la bassa stagione low season

basso low, short

bastare a to be enough for
   basta! that's enough!

battere to beat

la batteria drums

il battistero baptistry

beato te lucky you

beccare to pick on

bello good-looking, beautiful

bene well
   fare bene a to be good for
   va bene all right, O.K.

il bene the good; the sake (of)

benvenuto welcome
   dare il benvenuto
   to welcome

la benzina verde unleaded fuel

bere to drink

bestiale amazing *(slang)*

la bevanda gassata
   soft *(fizzy)* drink

bianco white

la biblioteca library

la bicicletta bicycle, bike

Vocabolario – italiano/inglese

il **bidone** trash can
il **bigliettino** note
il **biglietto** ticket
il **bilanciere** bar bell
il **binario** platform
birichino naughty
la **birra** beer
bisogna it's necessary
la **bistecca** steak
bloccato
  è bloccato
  there's a traffic jam
blu dark blue
la **bocca** mouth
  in bocca al lupo! good luck!
le **bocce** bowls
la **borsa** bag
il **bosco** forest, wood
la **bottega**
  craft shop; workshop
la **bottiglia** bottle
boxare to box
il **braccialetto** bracelet, bangle
il **braccio** arm
il **brano** song; passage
bravo (in) good (at)
bruciare to burn
brutto ugly
il **buco** hole
il **buffet verdure** salad bar
buffo funny, comical
il **bugiardo** liar
buonasera good evening
buongiorno
  hello, good morning
buono good
  buon compleanno!
  happy birthday!
il **burattino** puppet
buttare to throw

C

la **cabina telefonica**
  telephone booth
la **caccia** hunting
  dare la caccia a to hunt
cadere to fall
il **caffè** coffee
il **calcio** soccer
caldo hot
calma! relax!, take it easy!
la **calza** stocking
cambiare to change
cambiarsi to change (clothes)
il **cambio** transmission
la **camera da letto** bedroom
la **camera doppia** double room
la **camera singola** single room
il **cameriere** waiter
la **camicia** shirt

il **camino** chimney
il **camion** truck
la **campagna** country
il **campeggio** camping ground
il **campionato** championship
il **campione** champion
il **campo** field
il **canale** channel
la **candidatura** application
il **cane** dog
il **canestro** basket
il/la **cantante** singer
cantare to sing
canzonare to tease
la **canzone** song
i **capelli** hair
capire to understand
  si capisce! of course!
il **capo** boss
il **capoluogo**
  capital (of a region)
la **cappella** chapel
il **cappello** hat
i **carabinieri** (pl)
  special police
la **caramella**
  sweets, candy
il **caramello** caramel
il **carattere** character
il **carciofo** artichoke
la **carica** drive; energy
carino cute
la **carne** meat
il **carnevale** carnival
caro dear
la **carriera** career
  fare carriera
  to make a career
la **carrozza** carriage
la **carta** paper; map
la **carta di credito** credit card
la **carta telefonica**
  telephone card
il **cartello** sign
la **cartolina** postcard
i **cartoni animati** cartoons
la **casa** house
casalingo home-style
il **casco** helmet
caspita! goodness me!
la **cassa** checkout
la **cassetta** cassette
la **catena** chain
cavalcare to ride a horse
il **cavallo** horse
il **cavolo** cabbage
celeste light blue
il **cellulare** mobile phone
la **cena** dinner
cenare to have dinner

cento one hundred
  un centinaio (pl le centinaia)
  about a hundred (pl hundreds)
centrale central
il **centro** center
  in centro
  in the city center, downtown
il **centro commerciale**
  shopping center
il **centro storico**
  historical center of a town
cercare to look for
chattare to chat on the Net
che what; that
  che brutta figura!
  what a terrible impression!
  che cosa? what?
  che fatica! what hard work!
  che fifone! what a wimp!
  che miracolo!
  what a miracle!
  che ne dici?
  what do you say?,
  what do you reckon?
  che ne pensi?
  what do you think of it/them?
  che noia! how boring!
  che peccato! what a shame!
  che schianto!
  what a knockout!
chi? who?
chiacchierare to chat
  fare solo chiacchiere
  to be all talk
chiamare to call
il **chiarimento**
  clarification, explanation
la **chiave** key
chiedere a to ask someone
la **chiesa** church
il **chilo** kilo(gram)
il **chilometro** kilometer
il **chiosco** kiosk
chissà? who knows?
la **chitarra** guitar
il/la **chitarrista** guitarist
chiudere to close
chiuso closed
ciao! hi!; bye!
ciascuno
  each one (noun); each (adj)
il **cibo** food
il **cielo** sky
la **cima** peak
  in cima (a) at the top (of)
il **cioccolatino** chocolate
il **cioccolato**
  chocolate (flavour)
cioè that is, in other words
il **ciondolo** pendant
la **cipolla** onion

la **città** town, city
il **clarinetto** clarinet
la **classe** class
cliccare to click
il **cocomero** watermelon
cogliere to pick
la **cognata** sister-in-law
il **cognato** brother-in-law
la **colazione** breakfast
collezionare to collect
la **collezione** collection
la **collina** hill
il **collo** neck
il **colloquio** job interview
il **colore** color
la **colpa** fault
  non è colpa mia
  it's not my fault
colpire to hit, strike
il **colpo** shot (in sport)
coltivare to grow
come how; like
  come al solito as usual
  come fare? what to do?
  come mai? how come?
la **commedia** comedy
comodo comfortable
il **compagno di classe**
  classmate
i **compiti** homework
il **compleanno** birthday
  buon compleanno!
  happy birthday!
complicato complicated
complimenti
  non fate complimenti!
  make yourself at home!
comprare to buy
comprensivo understanding
il **computer** computer
computerizzato computerized
comunicare to communicate
il **concorrente** competitor
il **coniglio** rabbit
connettersi a to connect to
conoscere
  to know (a person, place)
conquistare
  to conquer, to win over
consapevole aware
consentire di to allow
considerare to consider
consigliare to advise
il **consiglio** advice
il/la **consulente**
  consultant, adviser
il **consumo** consumption
il **contadino** farmer
i **contanti** cash
il **contatto** contact

Vocabolario – italiano/inglese

contenere to contain
contento happy
continuamente continuously
contro against
contrario a against, anti-
controllare to check
convincere to convince
convinto convinced
la copertina
  cover (book; magazine)
coperto covered
  al coperto indoor
la coppa cup, trophy
il coraggio courage
  farsi coraggio
  to build up courage
il corpo body
il corridoio corridor
la corsa race
corto short
cosa
  cosa ci perdi?
  what do you have to lose?
così so
costare to cost
costoso expensive
costruire to build
il costume costume
il costume da bagno
  bathing suit
il cratere crater
la cravatta tie
creare to create
creativo creative
credere a to believe in
la crema abbronzante
  (protettiva) sunscreen
il cretino idiot
il critico critic
croato Croatian
la Croazia Croatia
il croccantino potato chip
il cucchiaio spoon(ful)
la cucina cuisine; kitchen
cucinare to cook
il/la cugino/a cousin
il cuoio leather
il cuore heart
la cupola dome
la cura care, cure
il curriculum resume
la curva curve
la cyclette exercise bike

D

da from; at/to (someone's place)
  da leccarsi i baffi
  mouthwatering
  da un lato...dall'altro
  on the one hand...on the
  other
  da urlo fantastic

danese Danish
la Danimarca Denmark
dappertutto everywhere
dare (a) to give (to)
  che cosa danno?
  what's on? (at the movies)
  dammi! give me!
  dato che since
davanti a in front of
davvero truly
delizioso delicious
il dente tooth
il/la dentista dentist
dentro inside
descrivere to describe
deserto deserted
desidera? can I help you?
destra right
  a destra to the right
di of
  di colpo suddenly
  di moda
  in fashion, fashionable
  di niente you're welcome
  di nuovo again
  di seconda mano
  second hand
il diario diary
il dibattito debate
dicembre December
la dieta diet
dietro behind
diffondere to spread
diffuso widespread
digitare to type
diligente hardworking
dimagrire to lose weight
la dimensione size
dimenticare to forget
il/la dipendente employee
dire (a) to say (to)
  dimmi! tell me!
  è facile a dirsi!
  easier said than done
  mi sa dire? can you tell me?
  non mi dice niente
  it doesn't appeal to me
direttamente directly, straight
diritto straight ahead
il diritto forehand
il discorso speech
disegnare to draw
disegnato designed
il disegno drawing
disoccupato unemployed
la disoccupazione
  unemployment
dispettoso spiteful
mi dispiace I'm sorry
disponibile available
la disposizione availability
disposto a willing to

la distanza distance
sono distrutto/a! I'm
  exhausted!
il dito finger
il dito del piede toe
la ditta firm
diventare to become
divertente fun
divertirsi
  to enjoy yourself, have fun
  divertirsi un mondo
  to have a great time
la doccia shower
  farsi la doccia
  to have a shower
docile docile
il documentario documentary
il dolce sweets, dessert
la dolce vita the good life
il dolore pain
  niente dolore, niente
  risultati! no pain, no gain!
la domanda
  question; application
domani tomorrow
domenica Sunday
donazione
  fare una donazione
  to make a donation
la donna woman
la donna d'affari
  businesswoman
dopo after
il dopobarba aftershave
doppio double
il dottore (m),
  la dottoressa (f)
  honorary title for person with
  5-year degree
dove? where?
dovere to have to; to owe
il dovere duty
la dozzina dozen
la droga drugs
dunque now then
il duomo
  cathedral, main church
durante during
duro hard

E

ecco...! here is...!, there is...!
  ecco fatto! finished!
  eccola!/eccolo!
  there she is!/there he is!
ecologico ecological
l'economia economy
l'ecoturismo ecotourism
l'edicola newsstand
l'edificio building
l'edizione (f) edition

l'educazione civica
  social studies
l'effetto serra
  greenhouse effect
l'effetto sonoro sound effect
efficace efficient
emozionante exciting
enorme enormous
entrare to enter
eppure and yet
l'equitazione (f)
  (horse) riding
l'eroe (m) hero
l'eruzione (f) eruption
esagerare
  to overdo it, go too far
esattamente exactly
l'escursione (f) walk; trip;
  outing
l'esercizio fisico
  physical exercise
l'esibizione (f) exhibition
esistere to exist
l'esperienza experience
esperto expert
essere to be
  sii naturale be natural
  sii te stesso/a be yourself
l'estate (f) summer
estivo summer
estremo extreme
l'età age
l'etichetta label
l'etto 100 grams
eventuale possible
evitare di to avoid

F

la fabbrica factory
la faccia face
facile easy
il fallo foul
  fare un fallo to serve a fault
la fame hunger
la famiglia family
famoso famous
la fantascienza science fiction
fantasia patterned; fantasy
il fantasma ghost
fantastico great, fantastic
fare to do, to make
  ce l'abbiamo fatta we did it !
  come fare? what to do?
  fa per me is right for me
  faccele vedere
  have a look at them
  fammi il piacere!
  come off it!; give me a break!
  fare a meno di
  to do without
  fare finta (di)
  to pretend (to)

Vocabolario – italiano/inglese

fare né caldo né freddo to not matter at all *(to someone)*
farlo apposta to do it on purpose
non ce la faccio più! I can't take any more!
la **farfalla** butterfly
le **farfalle** farfalle *(butterfly-shaped pasta)*
la **farmacia** pharmacy
il/la **farmacista** pharmacist
faticoso tiring
la **fattoria** farm
favoloso fabulous
favorevole a for, pro-
il **fazzoletto** tissue
febbraio February
fedele loyal
fermare to stop
fermarsi to stop
la **fermata** stop
il **ferro** iron
la **festa** party; public holiday
dare una festa to give a party
fiducia faith; confidence
abbi fiducia in te stesso/a be confident
il **fifone** coward
la **figlia** daughter
il **figlio** son
figura
addio bella figura! you can forget making a good impression!
fare bella figura to create a good impression
la **figuraccia** very bad impression
film
dare dei film to show films
il **film d'azione** action film
il **film di fantascienza** science-fiction/fantasy film
il **film drammatico** drama
il **film giallo** detective/mystery film
il **film poliziesco** police film
il **film thriller** thriller
la **filosofia** philosophy
la **finale** final
finalmente at last, finally
finché until
la **fine** end
il **finestrino** window *(e.g. of train, car)*
fingere di to pretend to
finire to finish
a non finire never-ending
fino a until

il **fiore** flower
la **firma** signature; designer label
firmato signed; designer label
il **fisico** physique
il **fitness** exercises/sports undertaken to keep fit
il **fiume** river
flessibile flexible
la **folla** crowd
il **fondo** bottom
in fondo (a) at the bottom/ end (of)
la **fontana** fountain
la **fontanella** drinking fountain
la **forma** fitness
in forma in shape, fit
il **formaggio** cheese
forse perhaps
forte strong; great *(slang)*
la **forza** force, power
forza! come on!, go on!
la **fotocopiatrice** photocopier
la **fotografia** photograph
fra among; between
fra due minuti in two minutes
fra poco soon
la **fragola** strawberry
francese French
la **Francia** France
il **francobollo** stamp
il **fratello** brother
nel **frattempo** in the meantime
freddo cold
fa freddo it's cold
il **freno a disco** disc brake
frequentare to attend
fresco fresh; cool
fa fresco it's cool
il **frullato** fruit smoothy *(drink)*
la **frutta** fruit
il **fruttivendolo** produce vendor
il **fumetto** comic strip
il **fungo** mushroom
la **funivia** cablecar
funzionare to work, function
il **fuoco** fire
fuori outside
il **fuoristrada** four-wheel drive
fuoriuscire to come out from
furbo cunning, tricky, sly
il **fusto; il figo** good-looking fellow

G

il **gabinetto** toilet
la **galera** jail
la **galleria d'arte** art gallery

la **gamba** leg
in gamba 'cool'
la **gara** contest, race
il **gas** gas
il **gatto** cat
la **gelateria** ice-cream shop
il **gelato** ice cream
il **gemello** twin
il **generi alimentari** food store
il **genero** son-in-law
il **genio** genius
il **genitore** parent
gennaio January
la **gente** people
gentile kind
genuino natural, unprocessed
la **Germania** Germany
il **ghiaccio** ice
già already
la **giacca** jacket
giallo yellow
gigantesco gigantic
il **gilet** waistcoat, vest
giocare to play *(a game)*
il **giocatore** player
la **gioielleria** jewelry shop
il **giornale** newspaper
il/la **giornalista** journalist
la **giornata** day
il **giovane** young person
giovedì Thursday
girare to turn
il **giro** tour
in giro around
la **gita** trip
il **giubbotto** bomber jacket, vest
giugno June
la **giungla** jungle
giusto fair
godere to enjoy
la **gola** throat
goloso greedy
la **gomma** eraser
il **gondoliere** gondolier
la **gonna** skirt
gotico gothic
il **grado** level
in grado di able to
grande big
in gran parte mainly
la **grandezza** size
la **granita** flavored ice *(Sicilian specialty)*
grasso fat
gratis free of charge
il **grattacielo** skyscraper
grave serious
grazie thank you, thanks

la **Grecia** Greece
greco Greek
gridare to shout, yell
il **grido** scream, cry
grigio gray
la **grinta** drive, determination
grintoso gutsy
grosso big
il **gruppo** group
guadagnare to earn, win
i **guai** trouble
il **guanto** glove
guardare to watch
la **guardia** guard
la **guardia forestale** ranger
guarito all better, cured
la **guerra** war
la **guida** guide
guidare to drive
il **gusto** taste

H

il **hi fi** stereo
il **hockey** hockey

I

l'**idea** idea
ieri yesterday
ieri sera last night
ignorare to ignore; to be unaware of
imbarazzato embarrassed
l'**impatto** impact
impaziente impatient
impazzire
fare impazzire to drive crazy
impegnarsi to commit oneself
impegnato busy *(already has something to do)*
importa
non importa it doesn't matter
importante important
l'**importante** *(m)* the important thing
l'**impresa** business
impressione
fare una buona impressione to impress, make a good impression
imprestare a to lend to
incantevole enchanting
incartare to wrap up
l'**incidente** *(m)* accident
incontaminato unspoiled
incontrare to meet
c'incontriamo let's meet, we'll meet
incontrarsi con to meet
incoraggiare to encourage

Vocabolario – italiano/inglese

l'incoscienza thoughtlessness
indicare to point out
l'individuo individual
indossare to put on, wear
indovinare to guess
l'industria industry
infine in conclusion
infinito infinite
informarsi (su)
  to ask for, find out *(about)*
l'informatica information
  technology, computer studies
ingannare to trick, deceive
l'Inghilterra England
ingiusto unjust
inglese English
l'ingresso entry
l'inizio beginning
innamorarsi di...
  to fall/be in love with...
inquinare to pollute
l'inquinamento pollution
l'insalata salad
l'insegnante *(m, f)* teacher
insegnare a
  to teach *(someone)* to
l'inserzione *(f)* advertisement
insieme together
insomma
  in short; on the whole; well; then
l'insufficiente *(m)*
  unsatisfactory *(school grade)*
intelligente intelligent, smart
intenso intense
interessante interesting
interessarsi a
  to be interested in
intero whole
l'interrogazione *(f)* oral test on
  what was learned the previous
  lesson
l'intervista interview
intorno a around
l'intrattenimento
  entertainment
invece
  instead; on the other hand
invernale winter
l'inverno winter
inviare to send
invitare to invite
  tu m'inviti?
  are you paying for me?
l'involucro wrapper
l'ipocrita hypocrite
l'Irlanda Ireland
irlandese Irish
iscriversi to enroll
l'iscrizione *(f)* enrollment
l'isola island

l'istruttore *(m)* instructor
l'Italia Italy
italiano Italian
l'itinerario itinerary
la Iugoslavia Yugoslavia
iugoslavo Yugoslav

J

i jeans *(pl)* jeans

L

la there
il lago lake
le lasagne lasagna
lasciare to leave
lassù up there
il latte milk
la laurea university degree
laurearsi to get a degree in
il laureato university graduate
la lavagna blackboard
lavare to wash
lavare i piatti to do the dishes
lavarsi to wash (oneself)
lavorare to work
lavorativo work-related
il lavoro job, work
leccare to lick
la legge law
leggere to read
leggero light *(in weight)*
il legno wood
lentamente slowly
lento slow
il letto bed
il lettore CD CD player
levarsi to take off *(clothing)*
la lezione lesson
lì there
il libro book
il liceo traditional high school
la lingua language
il litorale coast
il litro liter
il livello level
locale local
lontano far
lottare to fight
luglio July
lunedì Monday
lungo along; long
il lupo wolf

M

la macchina car; machine
il macellaio butcher
la macelleria butcher shop
la madre mother
magari perhaps

il magazzino warehouse
  il grande magazzino
  department store
maggio May
la maggioranza majority
la maglietta (knitted) top
mai never
il maiale pig
malato ill
male bad
  fare male a to do harm,
  to be harmful for
  farsi male to hurt oneself
mandare (a) to send (to)
mangiare to eat
  dare da mangiare a to feed
la mania mania
la manifestazione
  demonstration
la mano hand
  dare una mano to help
mantenersi in forma
  to keep fit
il manzo beef
il mare sea
  fronte mare beachfront
il marito husband
il marmo marble
martedì Tuesday
marzo March
la mate
  abbreviation of **la matematica**
la matematica mathematics
la matita pencil
il matrimonio marriage
la mattina morning
matto mad, crazy
la maturità
  Year 12 exams/certificate
maturo mature
la media stagione
  shoulder season
il medico doctor
medio medium
mediterraneo Mediterranean
meglio better *(adv)*
la mela apple
il membro member
la memoria memory
il/la menefreghista
  person who couldn't care less
meno less
meno male!
  good!; just as well!
la mensa canteen, cafeteria
mentre while
meraviglioso marvelous
il mercato market
mercoledì Wednesday
meridionale southern
il mese month

la metà half
il meteo weather forecast
il metro meter
mettere to put
mettere in giro
  to spread around *(gossip)*
mettersi to put on
la mezza pensione
  breakfast & dinner
la metà half
mezzo half
  mezz'ora fa half an hour ago
il mezzogiorno midday
mica male! not bad at all!
migliorare to improve
il/la migliore best
migliore better *(adj)*
il miliardario multi-millionaire
mille a thousand
il minestrone
  minestrone *(soup)*
la miniserie miniseries
il miracolo miracle
mirare to aim
mitico fabulous; legendary
  sei un mito!
  you're a legend!
la mobilia furniture
la moda fashion
la moderazione moderation
moderno modern
modesto modest
il modulo form
la moglie wife
molto very; much; many
il momento moment
  un momento!
  wait a minute!
il mondo world
la moneta coin
la montagna mountain
il monumento monument
morto dead
mostrare to show
la moto(cicletta) motorbike
il motociclista motorcyclist
il motore engine, motor
il motorino motor scooter
il motoscafo motorboat
la mozzarella cheese
  bianca come una mozzarella
  very pale-skinned person
  (slang)
la mucca cow
muovere to move
il muro outside wall
il muscolo muscle
muscoloso muscled
la musica music

N

nascere to be born
  nato e cresciuto born and bred
il **naso** nose
il **Natale** Christmas
la **natura** nature
naturalmente
  naturally, of course
nazionale national
la **nazionalità** nationality
la **nazione** nation
neanche not even
  neanche per sogno! no way!
negoziare
  to bargain, negotiate
il **negozio** shop
nemmeno not even
nero black
nervo
  dare sui nervi
  to get on one's nerves
nessuno no one
il **netturbino** garbage collector
la **neve** snow
nevicare to snow
niente nothing
  fa niente it doesn't matter
il **nipote** grandson; nephew
la **nipote** granddaughter; niece
la **noia** boredom
  che noia! how boring!
noioso boring
il **noleggiare** to hire
noleggio hire
il **nome** name; noun
la **nonna**
  grandmother, grandma
il **nonno** grandfather, grandpa
il **notebook** laptop computer
novembre November
le **novità** news
nudo naked
la **nuora** daughter-in-law
nuotare to swim
il **nuoto** swimming
nuovo new
la **nuvola** cloud

O

l'**occasione** bargain
gli **occhiali da sole** sunglasses
l'**occhio** eye
occuparsi di
  to look after, be in charge of
l'**oceano** ocean
odiare to hate
l'**odore** (m) smell
offendere to offend
offeso offended
offrire to offer

oggi today
oggigiorno nowadays
ogni each, every
  in ogni modo anyway
ognuno each one
olandese Dutch
l'**olio** oil
l'**ombelico** belly button
l'**ombrellone** (m)
  beach umbrella
onesto honest
l'**onomastico** name day
l'**operaio** worker
oplà! oops!
l'**ora** hour
  non vedo l'ora I can't wait
l'**orario** schedule
  in orario on time
ordinare to order
l'**ordine** (m) order, condition
l'**orecchino** earring
l'**orecchio** ear
l'**orefice** (m) goldsmith
organizzare to organize
l'**orientamento**
  careers guidance
originale unusual
l'**oro** gold
  d'oro wonderful, exceptional
l'**oroscopo** horoscope
orrendo horrible
orribile horrible
ospitare to play host to
l'**ospite** (m, f) guest
osservare to observe
l'**osteria** wine bar
ottenere to receive, obtain
ottimo great, excellent
ottobre October
l'**ozono** ozone

P

il **pacchetto** packet, package
la **pace** peace
il **padre** father
il **paese** town; country
il **paesetto** little town
i **Paesi Bassi** the Netherlands
pagare to pay
il **paio** (pl le paia) pair, couple
il **palazzo** palace
il **palco** stage
la **palestra** gymnasium
la **palla** ball
il **pallavolo** volleyball
il **pallone** (soccer) ball
la **pancetta** bacon
la **pancia** belly
il **pane** bread

la **panetteria** bakery
il **panino** bread roll
il **panorama** view
i **pantaloncini** shorts
i **pantaloni** pants, slacks
il **Papa** the Pope
il **papà** Dad
il **pappagallo** parrot
parcheggiare to park
il **parcheggio** parking lot
il **parco** park
parecchio several (adj)
parecchi/ie
  several people (noun)
il/la **parente** relative, relation
parlare (a) to speak (to)
  non me ne parlare!
  don't talk to me about it!
  parlare del più e del meno
  to talk about this and that
parmigiano Parmesan
partire to leave
la **partita** game, match
il/la **parrucchiere/a**
  female hairdresser
passare to pass, get past;
  to spend (time)
il **passatempo** pastime
il **passato** past
la **passeggiata** walk
  fare una passeggiata
  to go for a walk
la **pasta** pasta; cake, pastry
la **pasticceria** cake shop
il **pastificio** pasta-maker
la **patatina fritta**
  chip, french fry
il **patito** fanatic
il **pattinaggio velocità**
  speed skating
pattinare to skate
i **pattini** skates
il **pavimento** floor
la **pazienza** patience
  pazienza! never mind
  abbi pazienza! be patient!
pazzo crazy
la **pecora** sheep
peggiore worse; worst (adj)
pelato peeled
la **pelle** leather; skin
la **penna** pen
le **penne** penne (tube pasta)
pensare to think
  ci penso I'll think about it
  pensare fra sé
  to think to himself
la **pensione completa**
  all meals provided
il **pepe** pepper (seasoning)
il **peperoncino** chilli pepper
il **peperone** red pepper

per for
  per cortesia please (polite)
  per favore please
  per le sette by seven o'clock
  per quanto riguarda
  with regard to
  per strada on the way
  per terra
  on the floor, on the ground
perché because
perché? why?
il **percorso** way; journey
perdere to lose
perfetto perfect
pericoloso dangerous
permettere to allow
  permesso? may I come in?
permettersi to afford
però but, however
pesante heavy
la **pesca** fishing
pescare to fish
il **pescatore** fisherman
il **pesce** fish
i **pesi liberi** weights
il **peso** weight
la **pettegolezza** gossip
pettinare to comb
il **petto** chest
il **pezzo** piece
piacere a to be pleasing to
  mi piacerebbe I would like
  piacere! it's a pleasure
il **pianeta** planet
piano! slowly!
il **pianoforte** piano
la **pianta** map (of city); plant
piantala! stop it!
il **piattone** big plate
la **piazza** square
il **piccione** pigeon
piccolo little, small
il **piede** foot
il **pigiama** pyjamas
pigro lazy
il **pigrone** very lazy person
il **ping-pong**
  ping-pong, table tennis
piove it's raining
la **piscina** swimming pool
il **pisolino** nap
la **pista** dance floor
più more
  più di more than
piuttosto che rather than
il **pneumatico** tire
pochi/e few people (noun)
poco a little (adj)
poi then
polacco Polish

Vocabolario – italiano/inglese

il **pollo** chicken
la **Polonia** Poland
il **polso** pulse; wrist
il **pomeriggio** afternoon
il **pomodoro** tomato
il **pompelmo** grapefruit
il **ponte** bridge
popolare popular
popolata populated
il **portafoglio** wallet
portare
   to carry; to bring; to wear
il **portico** colonnade
il **portiere** goalkeeper
la **posa** pose
possessivo possessive
la **possibilità** opportunity
il **posto** place, seat
potente powerful
potere to be able to
poveretto! poor thing!
il **pranzo** lunch
pratico experienced; practical
la **predica** sermon; lecture
preferire to prefer
pregare to beg; to pray
   ti prego I beg you
il **premio** prize
prendere to take; to pick up;
   to get; to catch (a train etc.)
   non te la prendere
   don't get upset
   prendere il sole to sunbathe
prenotare to book (reserve)
la **prenotazione** booking
preoccuparsi to worry
preoccupato worried
preparare to prepare
i **preparativi** preparations
presentare to introduce
il/la **preside** school principal
presso at, with
presto! quickly!
il **prezzo** price
il **prezzo ridotto**
   concession price
prima before
   prima di partire
   before setting off
la **prima visione** first release
il **primo** the first
principale main
il/la **principiante** beginner
il **problema** problem
il/la **prof**
   abbreviation of **professore**
la **professione** profession
il **professore** (m) teacher
la **professoressa** (f) teacher

il **programma** program
il **programma di attualità**
   current affairs
il **programma di varietà**
   variety program
il **programma musicale** music
il **programma sportivo** sports
pronti...via! ready, set, go!
pronto ready; hello (on phone)
a **proposito** by the way
il **prosciutto** ham
proseguire to continue
prossimo next
il/la **protagonista**
   main character
proteggere to protect
protetto protected
la **prova** test
provare to try; try on
provocare to cause; to provoke
il **pubblico** public
pulito clean
il **pullman** coach, bus
la **punta** point
   a punta pointed
la **puntata** episode, part
il **punteggio** score
il **punto debole**
   weakness; weak subject
il **punto di partenza**
   starting point
purtroppo unfortunately

Q

il **quaderno** exercise book
il **quadro** picture
qualche some, a few
   qualche volta sometimes
qualcosa something
qualsiasi any
quanto? how much?
   quanti? how many?
   quanto costa...?
   how much is...?
il **quartiere** neighborhood
quasi almost, nearly
quello that
questo this
qui here
quindi therefore
quinto fifth
il **quiz** quiz show

R

la **racchetta** racquet
raccogliere fondi
   to raise money
la **raccolta differenziata**
   rubbish collection for
   recycling

raccontare to tell
la **radio** radio
la **radiosveglia** clock radio
radunarsi to gather together
raffreddato cooled
raga'
   slang: short form of **ragazzi**
la **ragazza** girl
il **ragazzo** boy
raggiungere to reach
il **ragno** spider
rallentare to slow down
rappresentare to represent
raro rare
rassomigliare a to resemble
il **razzismo** racism
la **recensione** review
regalare to give as a gift
il **regalo** present, gift
la **regione** region
registrare to record
la **regola** rule
il **regolamento** school rule(s)
religioso religious
il **reparto** department
il **requisito** prerequisite
respirare to breathe
restare to remain/be left
la **rete** net
la **ricetta** recipe
la **ricevuta** receipt
richiesto in demand; required
ricordare to remember
la **ricreazione** recess
ridere to laugh, smile
   fare ridere a to make laugh
ridicolo ridiculous
riduci, riusa, ricicla
   reduce, reuse, recycle
riempire to fill (in)
rifiutare to refuse
i **rifiuti** (pl) rubbish, garbage
la **riga** ruler; line, stripe
   a righe striped
la **rilegatura** bookbinding
rimanere to remain, stay
rimanere male to be upset
il **rimborso** refund
ripido steep
riportare to take back
riprodurre to reproduce
il **riscaldamento**
   warming; heating
riservato reserved
risolvere to solve
la **risorsa** resource
risparmiare to save (money)
rispettare to respect
rispondere a to reply to

la **risposta** answer, reply
il **ristorante** restaurant
il **risultato** result
il **ritardo** lateness
   ha quindici minuti di ritardo
   she's 15 minutes late
ritenere to believe; to retain
ritirare to withdraw
il **ritmo** pace, rhythm
il **ritrovo** meeting place
riuscire a
   to succeed in, manage to
la **riviera** coast
la **rivista** magazine
la **roba** stuff
la **roccia** rock
roccioso rocky
romano Roman
   fare alla romana
   to pay one's own way
rompersi
   to break (part of one's body)
rosso red
il **rovescio** backhand
rozzo rough
il **rugby** rugby
il **ruolo** role
la **ruota** wheel

S

sabato Saturday
la **sabbia** sand
il **sacco**
   sack; pile (e.g. of work)
il **sacco a pelo** sleeping bag
la **sala** (large) room
il **salame** salami
il **saldo** sale
il **sale** salt
salire to go up, climb
il **salotto** lounge
saltare to jump, leap
il **salume**
   preserved meat
la **salute** health
salvaguardare to safeguard
salvare to save
il **salvataggio** lifesaving
il **sandalo** sandal
sano healthy
sapere to know (a fact)
sarà per un'altra volta
   another time, perhaps
sbagliare to mistake
   ti sbagli you're mistaken
sbagliato wrong; mistaken
lo **sbaglio** mistake
sbattere contro...
   to bump into..., bang against...

Vocabolario – italiano/inglese

lo **sbocco professionale**
career opening

la **scala mobile** escalator

la **scalinata** (flight of) steps

lo **scambio** exchange

scappare to escape

lo **scarico** exhaust

scarlatta scarlet

la **scarpa** shoe, boot

lo **scarpone**
walking/hiking boot

la **scatola** box

scattare to take (photos)

la **scelta** choice

scemo dumb, stupid

la **scena** stage

scendere to climb down

scendere in piazza
to take to the streets

lo **schermo** screen

scherzare to joke

lo **scherzo** joke

scherzoso playful

lo/la **schiavista** slave-driver

schifoso disgusting

la **sciocchezza** foolish thing
non dire sciocchezze! don't
be silly!; don't talk rubbish!

lo **sci** ski, skiing

lo **sci nautico** water skiing

sciare to ski

la **sciarpa** scarf

le **scienze** science

le **scienze motorie**
health/exercise science

scommettere to bet

lo **sconto** discount

lo **scooter** moped

scoprire to discover

scoraggiare
to discourage, put off

la **Scozia** Scotland

scozzese Scottish

scrivere (a) to write (to)

la **scuola** school

la **scuola superiore**
senior high school

la **scusa** excuse

se if

il **secchione**
overly studious person

il **secolo** century, age

la **seconda media**
about grade 7/8

secondo me I think, I reckon

sedersi to sit down

la **sedia** chair

la **sedia a sdraio** beach chair

segnalare to point out

il **segnale stradale** traffic sign

segnare to score

la **segreteria** secretary's office

segreto secret

seguire to follow

il **semaforo** traffic light

sempre always, still

il **sentiero** path

sentimentale
soppy, sentimental

sentire to hear
senta, scusi (formal)
excuse me (to get attention)
stammi a sentire
hang on (and listen to me)

sentirsi to feel
ci sentiamo
talk to you soon

senza without

la **sera** evening

serbo Serbian

serio serious
sul serio seriously

il **serpente** snake

servire (a) to be useful to

i **servizi** facilities (toilet)

il **servizio** service, serve

la **seta** silk

la **sete** thirst
avere sete to be thirsty

settembre September

la **settimana bianca**
skiing vacation

il **settore** sector

severo strict

la **sfida** challenge

la **sfilata** parade

sfinito exhausted

sfogliare
to leaf through (a book)

lo **sfogo** outlet

sfruttare to exploit

lo **sguardo** look; gaze

lo **shopping**
shopping (non-grocery)

sì yes

siccome since

sicuro safe; sure

signora Mrs., Ms.; madame

signore Mr.; sir

signorina Miss

sii naturale be natural

sii te stesso/a be yourself

silenzio! silence! be quiet!

simpatico nice

sincero sincere

sinistra left
a sinistra to the left

il **sistema** system

la **sistemazione**
accommodation

smettere to stop

snowboard
fare dello snowboard
to go snowboarding

il **soccorso** help, aid

la **società edilizia**
construction firm

la **sofferenza** suffering

soffrire to suffer

sofisticato
(food) full of additives

il **soggiorno** stay; trip

sognare ad occhi aperti
to daydream

il **sogno** dream

i **soldi** money

il **sole** sun

solito usual

sollevare to lift

solo only; alone

sopportare to bear

sopra over, above

il **soprannome** nickname

sordo deaf

la **sorella** sister

la **sorpresa** surprise

il **sorriso** smile

il **sostegno** support

sotto under

sottoporre to submit

lo **spaccone** boaster

la **Spagna** Spain

spagnolo Spanish

la **spalla** shoulder

spazzolarsi to brush one's...

lo **specchio** mirror

la **specialità** special dish

spegnere to turn off

lo **spendaccione** spendthrift

spendere (in)
to spend (money)(on)

spensierato carefree

sperare to hope

la **spesa**
expense; grocery shopping
fare la spesa
to do the shopping

spettacolare spectacular

lo **spettacolo**
performance, show

lo **spettatore** spectator

la **spiaggia** beach

spiegare (a) to explain (to)

spingere to push

spiritoso!
smart aleck!, witty, clever

lo **spogliatoio** changing room

sporco dirty

lo **sport** sport

sportivo athletic

sposato con married to

sprecare to waste

lo **spuntino** snack

la **squadra** team

lo **squalo** shark

squisito delicious, exquisite

lo **stadio** stadium

lo **stage** work experience

la **stagione** season

stamattina this morning

la **stampante** printer

stanco tired
stanco da morire exhausted

stare to be, stay; to fit
mi stanno bene?
do they suit/fit me?
ti stanno a meraviglia!
they really suit/fit you!
stammi a sentire
hang on (and listen to me)
stare attento! be careful!
stare bene a to suit
stare fermo! stay still!
stare per...
to be about to...

stasera tonight, this evening

la **statua** statue

la **stazione** station

la **stella** star

stesso same

lo **stile** style

lo/la **stilista** designer

la **storia** history
quante storie!
what a lot of fuss!

storico historical

la **strada** road, street
fare strada to go a long way
ho perso la strada
I lost my way

strano strange, weird

stretto narrow; tight

lo **strumento musicale**
musical instrument

la **struttura**
structure (building)

lo **studente** (m) student

la **studentessa** (f) student

studiare to study

stufo di sick of

stupendo amazing

stupidaggini
non dire stupidaggini!
don't talk nonsense!

stupido stupid
fare lo stupido to act stupid

su! come on!; get up!

su on
dare su to look out onto
sul serio seriously

subito immediately

il **succo d'arancia** orange juice

sudamericano South American

sudare to sweat

il **sudore** sweat

suggerire to suggest

il **sugo** sauce

la **suocera** mother-in-law

il **suocero** father-in-law

suonare
to play (an instrument)

il **suono** sound

la **suora** nun, sister

superficiale superficial

il **supermercato** supermarket

lo **svantaggio** disadvantage

svegliarsi to wake up

sviluppare to develop

la **Svizzera** Switzerland

svizzero Swiss

svogliato lazy

svolgere
to carry out; to perform

T

la **taglia** clothing size

tagliare to cut

il **tamburo** drum

tanti auguri!
congratulations!;
happy birthday!

tanto anyway; a lot
tanto per cambiare!
just for a change!

il **tapis roulant** treadmill

tardi late
fare tardi to stay up late

la **tastiera** keyboard

il **tavolino** coffee table

il **tavolo** table

il **tè** tea

tedesco German

il **telecomando** remote control

teledipendente addicted to TV

il **telefilm** series

telefonare a to phone

il **telefonino** mobile phone

il **telegiornale** news

la **televisione** television

il **tema** essay

il **tempio** (pl i templi) temple

il **tempo** time; weather

la **tenda** tent

tenere to hold
tenere molto a...
to attach great importance to

il **tennis** tennis

la **Terra** Earth

la **terrazza** patio, terrace

terzo third

il **tesoro** treasure; darling

il **test attitudinale**
aptitude test

la **testa** head

il **tetto** roof

il **Ticino** Italian-speaking
canton of Switzerland

tifare per
to barrack for, support

il **tifoso** fan

timido shy

tipico typical

il **tipo** type, sort, kind

il **tiro** shot (in sport)

il **tiro libero** free shot

il/la **tirolese** German speaker
from the Alto Adige area

il **titolo di studio**
academic qualification

toccare to touch

tonificarsi to tone up

tonificato toned

la **tonnellata** ton

il **topo** mouse

tornare to return

il **torneo** tournament

la **torre** tower

la **torta** cake

il **traffico** traffic

il **traghetto** ferry

trascorrere to spend (time)

la **trasmissione**
program (TV, Radio)

la **traversata** crossing

il **trekking** hiking

il **treno** train

la **trentina** about thirty

troppo too

trovare to find

truccarsi to wear make-up

tuffarsi to dive

il **tuffo** dive

la **turbolenza** turbulence

il **turismo** tourism

il/la **turista** tourist

la **tuta** tracksuit

tutti/e everybody

tutti e due both

tutti e quattro all four

tutto all; everything

U

l'**uccello** bird

uffa! good grief!

l'**ultimo** latest one

ultimo last

ungherese Hungarian

l'**Ungheria** Hungary

unico only

l'**uniforme** (f) uniform

l'**uno all'altro** to each other

l'**uomo** man

l'**uovo** (pl le uova) egg

uscire to go out

l'**utente** (f) user

V

la **vacanza** vacation

valere to be worth

la **valigia** suitcase

la **valle** valley

valorizzarsi
to make the most of oneself

il **vantaggio** advantage

la **varietà** variety

il **Vaticano** Vatican

vecchio old

vedere to see

vediamo un po' let's see

la **veduta** view

veloce quick, fast
il più veloce possibile
as quickly as possible

vendere to sell
in vendita on sale

venerdì Friday

venire to come
venite a trovarci!
come and visit us!

il **vento** wind

veramente really

il **verde**
green (environmentalist)

verde green
al verde broke

la **verdura** vegetables

vergognarsi to be ashamed

la **verità** truth

vero true

verso (at) about; towards

vestirsi to get dressed

i **vestiti** clothes

il **vestito** dress

vestito dressed

il **veterinario** vet

la **vetrina** shop window

il **vetro** glass

viaggiare to travel

vicino a near

il **videogioco** video game

videoregistrare
to record on video

il **videoregistratore**
VCR, video cassette recorder

vietato forbidden, not allowed

il **vigile** traffic police officer

il **vigile del fuoco** firefighter

vincere to win

il **vino** wine

viola purple

violento violent

il **violino** violin

vista mare ocean views

la **vita** life
la dolce vita the good life

la **vittima** victim

vivere to live
viva...! long live...!

vivo alive

il **vogatore** rowing machine

la **voglia** desire

il **volante** steering wheel

volante flying

volenteroso eager, keen

volentieri!
I'd love to!, willingly

volare to fly

volere to want

il **volontario** volunteer

la **volta** time
la prossima volta next time
a volte sometimes
più volte several times

il **voto** grade

il **vulcano** volcano

Z

lo **zaino** backpack

la **zia** aunt

lo **zio** uncle

la **zona** area

la **zucca** pumpkin

lo **zucchero** sugar

Vocabolario
inglese/italiano

A

to be **able to** potere
able to in grado di
about; (at) about; towards
  verso
academic qualification
  il titolo di studio
accident l'incidente *(m)*
accommodation
  l'alloggio, la sistemazione
to **act** agire
action film il film d'azione
addicted to TV teledipendente
to **admire** ammirare
to **admit** ammettere
advanced avanzato
advantage il vantaggio
adventure l'avventura
advertisement l'inserzione *(f)*
advice il consiglio
to **advise** consigliare
aerobics l'aerobica
affectionate affettuoso
to **afford** permettersi
after dopo
afternoon il pomeriggio
afternoon activity *(elective)*
  l'attività pomeridiana
aftershave il dopobarba
again di nuovo
against contro
  I'm against sono contrario a
age l'età
agile agile
agree
  I agree d'accordo
to **aim** mirare
air l'aria
air conditioning
  l'aria condizionata
airport l'aeroporto
alive vivo
all right, O.K. va bene
all; everything tutto
to **allow**
  consentire di, permettere
almost, nearly quasi
along lungo
already già
also anche
altitude l'altitudine *(f)*
always, still sempre
amazing stupendo, bestiale
ambitious ambizioso
ambulance l'ambulanza

among; between fra
ancient antico
angry arrabbiato
  to become angry arrabbiarsi
animal l'animale *(m)*
answer, reply la risposta
antiques l'antiquariato
any qualsiasi
anyway in ogni modo, tanto
apartment
  l'appartamento
apple la mela
application
  la candidatura, la domanda
appointment, date
  l'appuntamento
to **approach** avvicinarsi
April aprile
aptitude test
  il test attitudinale
area la zona
arm il braccio
around in giro, intorno a
arrival l'arrivo
to **arrive** arrivare
arrogant arrogante
art gallery la galleria d'arte
artichoke il carciofo
artistic artistico
to be **ashamed** vergognarsi
to **ask** *(someone)* chiedere a
assistance l'assistenza
at a, presso
athletic sportivo
athletics l'atletica
to **attach; to enclose** allegare
to **attend** frequentare
to **attract; to interest** attirare
August agosto
aunt la zia
Austria l'Austria
Austrian austriaco
autograph l'autografo
automatic automatico
availability la disposizione
available disponibile
to **avoid** evitare di
aware consapevole

B

baby, child
  il bambino *(m)*, la bambina *(f)*
backhand il rovescio
backpack lo zaino

bacon la pancetta
bad male
bag la borsa
bakery la panetteria
balcony il balcone
ball la palla
  soccerball il pallone
banana la banana
bank la banca
banner il palio
bar bell il bilanciere
to **bargain, negotiate**
  negoziare
bargain
  a real bargain!
  una vera occasione!
basil il basilico
basket il canestro
basketball il basket
bathers il costume da bagno
bathroom il bagno
to **be, stay** essere, stare
  be quiet! silenzio!
  be yourself! sii te stesso!
to **be about to...** stare per...
beach la spiaggia
beach chair la sedia a sdraio
beach umbrella
  l'ombrellone *(m)*
beachfront fronte mare
to **bear** sopportare
beard la barba
to **beat** battere
beautiful; good-looking bello
because perché
to **become** diventare
bed il letto
bedroom la camera da letto
beef il manzo
beer la birra
before prima (di)
beg
  I beg you ti prego
beginner il/la principiante
beginning l'inizio
behind dietro
to **believe** credere; ritenere
belly la pancia
belly button l'ombelico
best migliore
to **bet** scommettere
better meglio *(adv)*;
  migliore *(adj)*
bicycle, bike la bicicletta
big grande; grosso

bird l'uccello
birthday il compleanno
  happy birthday!
  buon compleanno!
black nero
blackboard la lavagna
blue azzurro
  dark blue blu
  light blue celeste
boaster lo spaccone
boat la barca
body il corpo
bomber jacket, vest
  il giubbotto
to **book** *(reserve)* prenotare
book il libro
bookbinding la rilegatura
booking la prenotazione
to get **bored** annoiarsi
boring noioso
  how boring! che noia!
to be **born** nascere
  born and bred
  nato e cresciuto
boss il capo
both tutti e due
bottle la bottiglia
bottom
  at the bottom/end (of)
  in fondo (a)
bowls le bocce
box la scatola
boy il ragazzo
bracelet, bangle
  il braccialetto
bread il pane
bread roll il panino
to **break** *(part of one's body)*
  rompersi
breakfast la colazione
breakfast & dinner *(at hotel)*
  la mezza pensione
to **breathe** respirare
bridge il ponte
broke *(money)* al verde
brother il fratello
brother-in-law il cognato
to **brush one's...** spazzolarsi
to **build** costruire
to **build up courage**
  farsi coraggio
building l'edificio
built costruito
to **bump into...,**
  bang against...
  sbattere contro...

Vocabolario – inglese/italiano

to **burn** bruciare
bus l'autobus *(m)*, il pullman
business gli affari, l'impresa
businesswoman
  la donna d'affari
busy *(already has something*
  to do) impegnato
but, however però
butcher il macellaio
butcher shop la macelleria
butterfly la farfalla
to **buy** acquistare, comprare
bye! ciao!

C

cabbage il cavolo
cablecar la funivia
café, bar il bar
cafeteria, canteen la mensa
cake la torta
cake shop la pasticceria
to **call** chiamare
camping ground il campeggio
canal il canale
candy la caramella
capital *(of a region)*
  il capoluogo
car l'auto(mobile) *(f)*; la
macchina
care
  person who couldn't care
less il/la menefreghista
caramel il caramello
career la carriera
  to make a career
  fare carriera
career opening
  lo sbocco professionale
careers guidance
  l'orientamento
carefree spensierato
careful
  be careful! stai attento!
carefully attentamente
carnival il carnevale
to **carry; to bring; to wear**
  portare
to **carry out; to perform**
  svolgere
cartoons i cartoni animati
cash i contanti
cassette la cassetta
cat il gatto
cathedral, main church
  il duomo
to **cause; provoke** provocare
CD player il lettore CD
central centrale
center il centro
century, age il secolo
chain la catena

chair la sedia
challenge la sfida
champion il campione
championship il campionato
to **change**
  cambiare; cambiarsi *(clothes)*
  just for a change!
  tanto per cambiare!
changing room lo spogliatoio
chapel la cappella
character il carattere
to **chat** chiacchierare
to **chat on the Net** chattare
to **chat up** abbordare
to **check** controllare
checkout la cassa
cheese il formaggio
chest il petto
chicken il pollo
child, baby
  il bambino *(m)*, la bambina *(f)*
chilli il peperoncino
chocolate
  il cioccolato; il cioccolatino
choice la scelta
church la chiesa
cinema il cinema
class la classe
classmate
  il compagno di classe
classroom l'aula
clean pulito
to **click** *(with mouse)* cliccare
cliff il precipizio
to **climb, go up** salire
to **climb down** scendere
clock radio la radiosveglia
close friends
  amici per la pelle
to **close** chiudere
closed chiuso
clothes i vestiti
cloud la nuvola
coach l'allenatore *(m)*
coast il litorale; la riviera
coffee il caffè
coffee table il tavolino
coin la moneta
cold freddo
  it's cold fa freddo
to **collect** collezionare
collection la collezione
collector il/la collezionista
color il colore
to **comb** pettinare
to **come** venire
  come and visit us!
  venite a trovarci!
  come in! avanti!
  come on! get up! su!
  come on!, go on! forza!

comedy la commedia
comfortable comodo
comic-strip il fumetto
to **commit oneself** impegnarsi
to **communicate** comunicare
competitor il concorrente
complicated complicato
computerized computerizzato
concession price
  il prezzo ridotto
conclusion
  in conclusion infine
confident
  be confident
  abbi fiducia in te stesso/a
congratulations auguri
to **connect**
  connettere; connettersi
to **conquer** conquistare
to **consider** considerare
consultant, adviser
  il/la consulente
consumption il consumo
contact contatto
to **contain** contenere
contest, race la gara
to **continue** proseguire
continuously continuamente
to **convince** convincere
convinced convinto
to **cook** cucinare
cool fresco
  'cool' in gamba
  it's cool fa fresco
cooled raffreddato
corridor il corridoio
to **cost** costare
country la campagna; il paese
cousin il/la cugino/a
cover *(book; magazine)*
  la copertina
covered, indoor coperto
cow la mucca
coward, wimp il fifone
craft shop; workshop
  la bottega
crater il cratere
crazy pazzo
  to drive crazy fare impazzire
to **create** creare
creative creativo
credit card la carta di credito
critic il critico
Croatia la Croazia
Croatian croato
croissant il cornetto
crowd la folla
cuisine la cucina
cunning furbo
cup, trophy la coppa

cured, all better guarito
current affairs
  il programma di attualità
curve la curva
to **cut** tagliare
cute carino

D

Dad il papà
to **dance** ballare
  on the dance floor in pista
dangerous pericoloso
darn! accidenti!
daughter la figlia
daughter-in-law la nuora
day la giornata
to **daydream**
  sognare ad occhi aperti
dead morto
deaf sordo
dear caro
debate il dibattito
December dicembre
degree
  to get a degree in laurearsi in
delicious delizioso, squisito
demand
  in demand richiesto
demonstration
  la manifestazione
dentist il/la dentista
department il reparto
department store
  il grande magazzino
to **describe** descrivere
deserted deserto
designer lo/la stilista
  (fashion), il grafico *(industry)*
designer label la firma
designer label *(adj)* firmato
desire la voglia
dessert il dolce
detective/mystery film
  il film giallo
to **develop** sviluppare
diary il diario
diet la dieta
dinner la cena
  to have dinner cenare
dirty sporco
disadvantage lo svantaggio
discount lo sconto
to **discourage** scoraggiare
to **discover** scoprire
disgusting schifoso
to **do the dishes** lavare i piatti
distance la distanza
to **dive** tuffarsi
dive il tuffo

Vocabolario – inglese/italiano

to **do**, to **make** fare
  we did it !
  ce l'abbiamo fatta!
  what to do? come fare?
docile docile
doctor il medico
documentary il documentario
dog il cane
dome la cupola
donkey l'asino
double doppio
double room la camera doppia
down town in centro
dozen la dozzina
drama il film drammatico
to **draw** disegnare
drawing il disegno
dream il sogno
dress il vestito
dressed vestito
to get **dressed** vestirsi
to **drink** bere
to **drive** guidare
drive, determination, energy
  la carica, la grinta
drive; energy la carica
driver l'autista (m, f)
drugs la droga
drums la batteria
dumb, stupid scemo
during durante
Dutch olandese
duty il dovere

E

each one ciascuno, ognuno
each, every ogni
  to each other l'uno all'altro
eager, keen volenteroso
eagle l'aquila
ear l'orecchio
to **earn, win** guadagnare
earring l'orecchino
Earth la Terra
easy facile
to **eat** mangiare
ecological, environmental
  ecologico
economy l'economia
edition l'edizione (f)
efficient efficace
egg l'uovo
embarrassed imbarazzato
employee il/la dipendente
enchanting incantevole
to **encourage** incoraggiare
end la fine
engine, motor il motore
England l'Inghilterra

English inglese
to **enjoy** godere
to **enjoy oneself, have fun**
  divertirsi
  to have a great time
  divertirsi un mondo
enormous enorme
enough abbastanza
to be **enough for** bastare a
to **enroll** iscriversi
enrollment l'iscrizione (f)
to **enter** entrare
entertainment
  l'intrattenimento
entry l'ingresso
environment l'ambiente (m)
episode la puntata
equipment; machine
  l'attrezzo
eraser la gomma
eruption l'eruzione (f)
escalator la scala mobile
to **escape** scappare
essay il tema
evening la sera
everybody tutti
everywhere dappertutto
exactly esattamente
exam
  Year 12 certificate
  la maturità
excellent ottimo
exchange lo scambio
exciting emozionante
excuse la scusa
excuse me (to get attention)
  senta, scusi (polite)
exercise bike la cyclette
exercise book il quaderno
exhaust lo scarico
exhausted
  sfinito, stanco da morire
  I'm exhausted!
  sono distrutto!
exhibition l'esibizione (f)
to **exist** esistere
expensive costoso
experience l'esperienza
experienced pratico
expert esperto
to **explain** spiegare
to **exploit** sfruttare
exquisite squisito
extinct estinto
extreme estremo
eye l'occhio

F

fabulous favoloso, mitico
face la faccia
facilities (toilet) i servizi
factory la fabbrica
fair giusto
to **fall** cadere
to **fall asleep** addormentarsi
to **fall in love with...**
  innamorarsi di...
family la famiglia
famous famoso
fan il tifoso
fanatic il patito
fantastic fantastico
far lontano
farm la fattoria
farmer il contadino
fashion la moda
fashionable, in fashion
  di moda
fat grasso
father il padre
father-in-law il suocero
fault
  it's not my fault
  non è colpa mia
fearless, brave impavido
February febbraio
federal federale
to **feed** dare da mangiare a
to **feel** sentirsi
  do you feel like...?
  ti va di...?
ferry il traghetto
few pochi/e (noun);
  poco (adj)
field il campo
fifth quinto
to **fight** lottare
to **fill (in)** riempire
final la finale
finally, at last finalmente
to **find** trovare
to **find out (about)**
  informarsi (su)
finger il dito
to **finish** finire
finished! ecco fatto!
fire il fuoco
fireman il vigile del fuoco
firm la ditta
first il primo
first release (film)
  la prima visione
to **fish** pescare
fish il pesce
fisherman il pescatore
fishing la pesca

to **fit, suit** stare bene a
  do they suit/fit me?
  mi stanno bene?
  they really suit/fit you!
  ti stanno a meraviglia!
fit, in shape in forma
fitness la forma
flag la bandiera
flexible flessibile
to **flirt with** abbordare
floor il pavimento
flower il fiore
to **fly** volare
flying volante
to **follow** seguire
food il cibo
food store il generi alimentari
foot il piede
forbidden, not allowed
  vietato
force, power la forza
forehand il diritto
forest il bosco
to **forget** dimenticare
form il modulo
foul il fallo
fountain la fontana
four-wheel drive la fuoristrada
France la Francia
free of charge gratis
freeway l'autostrada
French francese
french fry la patatine fritta
fresh; cool fresco
Friday venerdì
friend l'amica (f), l'amico (m)
friendly amichevole
friendship l'amicizia
from; at/to (someone's place)
  da
front
  in front of davanti a
fruit la frutta
fruit smoothy (drink)
  il frullato
fun divertente
funny, comical buffo
furniture la mobilia
fuss
  what a lot of fuss!
  quante storie !
future l'avvenire (m)

G

garbage collector
  il netturbino
gas il gas
to **gather together** radunarsi
genius il genio
German tedesco
Germany la Germania

146

Vocabolario

Vocabolario – inglese/italiano

to **get up** alzarsi
ghost il fantasma
gigantic gigantesco
girl la ragazza
to **give (to)** dare (a)
  give me! dammi!
  give me a break!,
  come off it!
  ma fammi il piacere!
to **give as a gift** regalare
glass il vetro; il bicchiere
glove il guanto
to **go** andare
to **go away** andarsene
  we're going
  noi ce n'andiamo
to **go out** uscire
to **go up, climb** salire
to **go with** accompagnare
goalkeeper il portiere
gold l'oro; giallo oro *(colour)*
goldsmith l'orefice *(m)*
gondolier il gondoliere
good buono
  good (at) bravo (in)
  goodbye, see you later
  arrivederci
  good evening buonasera
  good!; just as well!
  meno male!
  good-looking fellow
  il fusto, bello, il figo
  good-looking girl
  bella, la figa
  good luck! in bocca al lupo!
  goodness me! caspita!
  the good; the sake (of)
  il bene
  the good life la dolce vita
to be **good for** fare bene a
gossip la pettegolezza
gothic gotico
grade il voto
granddaughter; niece
  la nipote
grandfather, grandpa il nonno
grandmother, grandma
  la nonna
grandson; nephew il nipote
grapefruit il pompelmo
gray grigio
great
  ottimo, fantastico, forte *(slang)*
Greece la Grecia
greedy goloso
Greek greco
green verde;
  il verde *(environmentalist)*
greenhouse effect
  l'effetto serra
on the **ground,**
  on the floor per terra

group il gruppo; la banda
to **grow** coltivare
guard la guardia
to **guess** indovinare
guest l'ospite *(m, f)*
guide la guida
guitar la chitarra
guitarist il/la chitarrista
gutsy grintoso
gymnasium la palestra

H

hair i capelli
hairdresser
  il/la parrucchiere/a
half mezzo; la metà
  half an hour ago mezz'ora fa
ham il prosciutto
hand la mano
  on the one hand...on the
  other da un lato...dall'altro
handicrafts; craftwork
  l'artigianato
hang on (and listen to me)
  stammi a sentire
happy allegro, contento
  happy birthday!
  buon compleanno!
hard duro
hardworking diligente
to do **harm to, to be harmful**
  for fare male a
harmony l'armonia
hat il cappello
to **hate** odiare
to **have** avere
to **have to** dovere
head la testa
health la salute
healthy sano
  you can't get healthier
  than this
  più sano di così non si può!
to **hear** sentire
heart il cuore
heavy pesante
hello, good morning
  buongiorno
hello *(on phone)* pronto
helmet il casco
to **help** aiutare; dare una mano
here qui
here is...!, there is...!
  ecco...!
hero l'eroe *(m)*
hi! ciao!
high school la scuola superiore
high season l'alta stagione
high, tall alto
hiking il trekking
hill la collina
to **hire** noleggiare

hire il noleggio
historical storico
history la storia
to **hit, strike** colpire
to **hit on** abbordare
hockey il hockey
to **hold** tenere
hole il buco
holiday (public) la festa
home-style casalingo
homework compiti
  to do your homework
  fare i compiti
honest onesto
to **hope** sperare
horoscope l'oroscopo
horrible orrendo, orribile
horse il cavallo
hot caldo
hotel l'albergo
hour l'ora
house la casa
how? come?
how come? come mai?
how many? quanti?
how much is...?
  quanto costa...?
to **hug, embrace** abbracciare
hundred cento
  one hundred grams l'etto
  about a hundred
  un centinaio
  hundreds le centinaia *(pl)*
Hungarian ungherese
Hungary l'Ungheria
to be **hungry** avere fame
to **hunt** dare la caccia a
hunting la caccia
hurry! presto!
to **hurt oneself** farsi male
husband il marito
hypocrite l'ipocrita

I

ice il ghiaccio
ice cream il gelato
ice-cream shop la gelateria
idea l'idea
idiot il cretino
if se
to **ignore** ignorare
  you're ignoring
  stai ignorando
ill malato
immediately subito
impact l'impatto
impatient impaziente
important importante
  the important thing
  l'importante *(m)*

to **impress, make a good**
  impression
  fare una buona impressione a,
  fare bella figura
  very bad impression
  la figuraccia
  what a terrible impression!
  che figuraccia!
  you can forget making a
  good impression!
  addio bella figura!
to **improve** migliorare
in; into in
individual l'individuo
industry l'industria
infinite infinito
information technology
  l'informatica
inhabitant l'abitante *(m)*
inside dentro
instead; on the other hand
  invece
to **interest; to attract**
  attirare
instructor l'istruttore *(m)*
intelligent, smart intelligente
intense intenso
to be **interested in**
  interessarsi a
  avidly interested in
  appassionato di
interesting interessante
interview l'intervista
to **introduce** presentare
to **invite** invitare
Ireland l'Irlanda
Irish irlandese
iron il ferro, il ferro da stiro
island l'isola
Italian italiano
Italy l'Italia
itinerary l'itinerario

J

jacket la giacca
jail la galera
January gennaio
jeans i jeans *(pl)*
jewelry shop la gioielleria
job advertisement l'inserzione
job interview il colloquio
job, work il lavoro
to **joke** scherzare
joke
  la barzelletta; lo scherzo *(prank)*
journalist il/la giornalista
July luglio
to **jump, leap** saltare
June giugno
jungle la giungla
just; hardly appena

Vocabolario – inglese/italiano

K

to keep **fit** mantenersi in forma
key la chiave
keyboard la tastiera
kilo(gram) il chilo
kilometer il chilometro
kind gentile
kiosk il chiosco
kiss il bacio
kitchen la cucina
knockout
  what a knockout!
  che schianto!
to **know** *(a fact)* sapere
to **know** *(a person, place)*
  conoscere

L

label l'etichetta
lake il lago
lamb l'agnello
language la lingua
laptop
  il computer portatile, il notebook
lasagna le lasagne
last ultimo
last night ieri sera
late ritardo, tardi
latest one l'ultimo/a
to make **laugh** fare ridere a
law la legge
lazy pigro, svogliato
lazy person il pigrone
leased in affitto
least
  at least almeno
leather il cuoio, la pelle
to **leave** lasciare, partire
lecture; sermon la predica
left sinistra
  to the left a sinistra
leg la gamba
to **lend to** imprestare a
less meno
lesson la lezione
level il livello
liar il bugiardo
library la biblioteca
to **lick** leccare
life la vita
lifeguard il bagnino
lifesaving il salvataggio
to **lift** sollevare
light *(in weight)* leggero
to **listen (to)** ascoltare
liter il litro
little piccolo
  a little poco *(adj)*
to **live** abitare, vivere
  long live...! viva...!
local locale

long lungo
to **look after, be in charge of**
  occuparsi di
to **look for** cercare
to **look out onto** dare su
look; gaze lo sguardo
to **lose** perdere
  what do you have to lose?
  cosa ci perdi?
to **lose weight** dimagrire
lots of times più volte
lounge il salotto
to **love** amare
  I'd love to! volentieri!
love l'amore *(m)*
low season la bassa stagione
low, short basso
loyal fedele
lucky you beato te
lunch il pranzo

M

machine la macchina
mad, crazy matto
magazine la rivista
main principale
main character
  il/la protagonista
mainly in gran parte
majority la maggioranza
to **make, do** fare
  make yourself at home
  non fate complimenti!
to **make the most of oneself**
  valorizzarsi
man l'uomo
to **manage** riuscire a
mania la mania
many, much, very molto
map *(of city)*; **plant** la pianta
marble il marmo
March marzo
market il mercato
marriage il matrimonio
  married to sposato con
marvelous meraviglioso
match la partita
mathematics
  la matematica, la mate *(slang)*
matter
  it doesn't matter
  fa niente, non importa
  to not matter at all
  (to someone)
  fare né caldo né freddo *(a)*
mature maturo
May maggio
meanwhile nel frattempo
meat la carne
Mediterranean mediterraneo
medium medio

to **meet**
  incontrare, incontrarsi con
  we'll meet, let's meet
  c'incontriamo
meeting place il ritrovo
member il membro
memory la memoria
meter il metro
midday il mezzogiorno
milk il latte
miniseries la miniserie
miracle il miracolo
  what a miracle!
  che miracolo!
mirror lo specchio
mistake lo sbaglio
  you're mistaken ti sbagli
mobile phone
  il cellulare, il telefonino
moderation la moderazione
modern moderno
modest modesto
Mom la mamma
moment il momento
Monday lunedì
money i soldi
month il mese
monument il monumento
moped lo scooter
more più
more than più di
morning la mattina
  this morning stamattina
mother la madre
mother-in-law la suocera
motor scooter
  la motoretta, il motorino
motorbike la moto(cicletta)
motorboat il motoscafo
motorcyclist il motociclista
motorist l'automobilista *(m, f)*
mountain la montagna
mouse il topo
mouth la bocca
moustache i baffi
mouthwatering
  da leccarsi i baffi
to **move** muovere
Miss signorina
Mr.; sir signore
Mrs., Ms.; madame signora
much; many; very molto
multi-millionaire
  il miliardario
muscle il muscolo
muscled muscoloso
mushroom il fungo
music la musica, il programma
  musicale
musical instrument
  lo strumento musicale

N

naked nudo
name il nome
name day l'onomastico
nap il pisolino
narrow; tight stretto
nation la nazione
national nazionale
nationality la nazionalità
natural, unprocessed genuino
naturally, of course
  naturalmente
nature la natura
near vicino a
necessary
  it's necessary bisogna
neck il collo
to **need** avere bisogno di
neighborhood il quartiere
to **get on one's nerves**
  dare sui nervi
net la rete
the Netherlands i Paesi Bassi
never mai
never mind! pazienza!
never-ending a non finire
new nuovo
news le novità,
  il telegiornale (TV)
newsstand l'edicola
newspaper il giornale
next prossimo
  next time la prossima volta
  next to, right near accanto a
nice simpatico
nickname il soprannome
nonsense
  don't talk nonsense!
  non dire stupidaggini!
no one nessuno
no way! neanche per sogno!
nose il naso
not at all affatto
not bad at all! mica male!
not even neanche, nemmeno
note l'appunto; biglietto
  small note il bigliettino
nothing niente
November novembre
now adesso
now then dunque
nowadays oggigiorno

O

to **observe** osservare
obsession la mania
to **obtain** ottenere
ocean l'oceano
October ottobre
of di
of course! si capisce!

Vocabolario – inglese/italiano

to **offend** offendere
offended offeso
to **offer** offrire
oil l'olio
old vecchio
old-fashioned antiquato
on su
onion la cipolla
only solo, unico
open aperto
opponent l'avversario
opportunity la possibilità
oral test l'interrogazione *(f)*
orange *(colour)* arancione
orange juice il succo d'arancia
to **order** ordinare
order l'ordine *(m)*
to **organize** organizzare
other altro *(adj)*
others gli altri, le altre *(noun)*
outlet lo sfogo
outside fuori
over, above sopra
to **overdo it, go too far**
  esagerare
to **owe** dovere
ozone l'ozono

P

packet, package il pacchetto
pageant, parade il corteo
pain il dolore
  no pain, no gain!
  niente dolore, niente risultati!
pair, couple il paio *(pl le paia)*
palace il palazzo
pants, slacks i pantaloni
paper; map la carta
parade la sfilata
parent il genitore
to **park** parcheggiare
park il parco
parking lot il parcheggio
Parmesan parmigiano
parrot il pappagallo
party la festa
  to give a party
  dare una festa
to **pass, get past;**
  to spend *(time)* passare
passage il brano
past il passato
pasta; little cake, pastry
  la pasta
pastime il passatempo
path il sentiero
patience la pazienza
  be patient! abbi pazienza!
patio, terrace la terrazza
patterned fantasia

to **pay** pagare
to **pay one's own way**
  fare alla romana
peace la pace
peak la cima
peeled pelato
pen la penna
pencil la matita
pencil case l'astuccio
pendant il ciondolo
people la gente
pepper *(seasoning)* il pepe
pepper *(capsicum)* il peperone
perfect perfetto
performance, show
  lo spettacolo
perhaps forse, magari
pharmacist
  il/la farmacista
pharmacy
  la farmacia
philosophy la filosofia
to **phone** telefonare
photocopier la fotocopiatrice
photograph la fotografia
physical exercise
  l'esercizio fisico
physique il fisico
piano il pianoforte
piano accordion la fisarmonica
to **pick** cogliere
to **pick on** beccare
picture il quadro
piece il pezzo
pier il molo
pig il maiale
pigeon il piccione
ping-pong, table tennis
  il ping-pong, il tennis da tavolo
place, seat il posto
plane l'aereo
planet il pianeta
platform il binario
to **play** *(a game)* giocare
to **play** *(an instrument)*
  suonare
to **play host to** ospitare
player il giocatore
playful scherzoso
please
  per favore, per cortesia *(polite)*
to be **pleasing to** piacere a
  it's a pleasure piacere!
point la punta
to **point out**
  indicare, segnalare
pointed a punta
Poland la Polonia
police film il film poliziesco
police la polizia;
  i carabinieri *(special) (pl)*

police officer *(traffic)* il vigile
Polish polacco
to **pollute** inquinare
pollution l'inquinamento
poor thing! poveretto/a!
the **Pope** il Papa
popular popolare
populated popolato/a
pose la posa
possessive possessivo
possible possibile; eventuale
postcard la cartolina
potato chip il croccantino
powerful potente
practical pratico
to **prefer** preferire
preparations i preparativi
to **prepare** preparare
prerequisite il requisito
present, gift il regalo
to **pretend (to)**
  fare finta (di), fingere (di)
price il prezzo
principal *(of school)*
  il/la preside
printer la stampante
prize il premio
problem il problema
processed *(food)* sofisticato
produce vendor il fruttivendolo
profession la professione
program
  il programma, la trasmissione
to **protect** proteggere
protected protetto
public il pubblico
pulse; wrist il polso
pumpkin la zucca
puppet il burattino
purple viola
to **do it on purpose**
  farlo apposta
to **push** spingere
to **put** mettere
to **put on** mettersi
pyjamas il pigiama

Q

question la domanda
quick, fast veloce
quickened accelerato
quickly presto
quiz show il quiz

R

rabbit il coniglio
race la corsa
racism il razzismo
racquet la racchetta
radio la radio

ranger la guardia forestale
rare raro
rather than piuttosto che
to **reach** raggiungere
to **read** leggere
  to leaf through *(a book)*
  sfogliare
ready, set, go! pronti...via!
ready pronto
really veramente
receipt la ricevuta
recess la ricreazione
recipe la ricetta
to **record** registrare
to **record on video**
  videoregistrare
recycling collection
  la raccolta differenziata
red rosso
reduce, reuse, recycle
  riduci, riusa, ricicla
refund il rimborso
to **refuse** rifiutare
regard
  with regard to
  per quanto riguarda
region la regione
relative, relation il/la parente
relax!, take it easy! calma!
religious religioso
to **remain, be left** restare
to **remain, stay** rimanere
to **remember** ricordare
remote control il telecomando
to **reply to** rispondere a
to **represent** rappresentare
to **reproduce** riprodurre
required richiesto
rescue salvare
to **resemble** rassomigliare a
reserved riservato
resource la risorsa
to **respect** rispettare
restaurant il ristorante
result il risultato
resume il curriculum
to **retain** ritenere
to **return** tornare
return trip l'andata e ritorno
review la recensione
rhythm, pace il ritmo
to **ride a horse** cavalcare
ridiculous ridicolo
riding *(horse)* l'equitazione *(f)*
to be **right** avere ragione
right destra
  to the right a destra
ring l'anello
river il fiume
road, street la strada

Vocabolario – inglese/italiano

rock la roccia
rocky roccioso
role il ruolo
roof il tetto
room la stanza
rough rozzo
rowing machine il vogatore
rubbish, garbage i rifiuti (pl)
  recycling collection
  la raccolta differenziata
rugby il rugby
rule la regola
  school rule(s)
  il regolamento
ruler la riga

S

sack il sacco
safe sicuro
to safeguard salvaguardare
sailing boat la barca a vela
salad l'insalata
salad bar il buffet verdure
salami il salame
sale il saldo
  on sale in vendita
salt il sale
same stesso
sand la sabbia
sandal il sandalo
Saturday sabato
sauce il sugo, la salsa
saucepan la casseruola
to save
  salvare; risparmiare (money)
to say (to) dire (a)
  what do you say?, what do
  you reckon? che ne dici?
to be scared of avere paura di
scarf la sciarpa
schedule l'orario
school la scuola
  high school il liceo
science le scienze
science fiction la fantascienza
science-fiction/fantasy film
  il film di fantascienza
score il punteggio
to score segnare
Scotland la Scozia
Scottish scozzese
scream, cry il grido
screen lo schermo
sea il mare
season la stagione
second hand di seconda mano
secret segreto
secretary's office la segreteria
sector il settore
to see vedere
  let's see vediamo un po'

to sell vendere
to send inviare, mandare
sentimental, soppy
  sentimentale
September settembre
Serbian serbo
series il telefilm
serious grave, serio
seriously sul serio
to serve a fault fare un fallo
service
  il servizio, il trattamento
to set off avviarsi
several parecchio (adj)
several people
  parecchi/ie (noun)
what a shame! che peccato!
shark lo squalo
to shave farsi la barba
sheep la pecora
shirt la camicia
shoe la scarpa
shop il negozio
shop window la vetrina
to do the shopping (grocery)
  fare la spesa
shopping (non-grocery)
  lo shopping
shopping center
  il centro commerciale
short corto; basso
shorts i pantaloncini
shot (in sport) il colpo, il tiro
  free shot il tiro libero
shoulder la spalla
shoulder season
  la media stagione
to shout, yell gridare
show lo spettacolo
to show mostrare
  to show films dare dei film
to have a shower
  farsi la doccia
shower la doccia
shy timido
sick ammalato
sick of stufo di
sign il cartello
signature la firma
signed firmato
silence! silenzio!
silk la seta
silly stupido; scemo
  don't be silly!
  non fare lo/la stupido/a
since dato che, siccome
sincere sincero
to sing cantare
singer il/la cantante
single room la camera singola

sister la sorella
sister-in-law la cognata
to sit down sedersi
size
  la dimensione; la grandezza;
  la taglia (clothing);
  il numero (shoes)
to skate pattinare
skates i pattini
to ski sciare
ski, skiing lo sci
skiing vacation
  la settimana bianca
skin la pelle
skirt la gonna
sky il cielo
skyscraper il grattacielo
slave driver lo/la schiavista
sleeping bag il sacco a pelo
to be sleepy avere sonno
slow lento
to slow down rallentare
slowly lentamente, piano
sly furbo
small piccolo
smart aleck!, witty spiritoso
smell l'odore (m)
smile il sorriso
snack lo spuntino
snake il serpente
to snow nevicare
snow la neve
to go snowboarding
  fare dello snowboard
so così
soccer il calcio
social studies
  l'educazione civica
soft (fizzy) drink
  la bevanda gassata
to solve risolvere
some alcuni/e (adj)
some people alcuni/e (noun)
some, a few qualche (adj)
something qualcosa
sometimes qualche volta
son il figlio
song la canzone
son-in-law il genero
soon fra poco
I'm sorry mi dispiace
sound il suono
sound effect l'effetto sonoro
southern meridionale
Spain la Spagna
Spanish spagnolo
to speak (to) parlare (a)
special dish la specialità
spectacular spettacolare

spectator lo spettatore
speech il discorso
speed skating
  il pattinaggio velocità
to spend (money) (on)
  spendere (in)
to spend (time)
  trascorrere, passare
spendthrift lo spendaccione
spider il ragno
spiteful dispettoso
spoon(ful) il cucchiaio
sport lo sport
sports il programma sportivo
to spread diffondere
to spread around (gossip)
  mettere in giro
square la piazza
stadium lo stadio
stage il palco, la scena
stall la bancarella
stamp il francobollo
star la stella
starting point
  il punto di partenza
station la stazione
statue la statua
stay still! stai fermo!
to stay up late fare tardi
stay; trip il soggiorno
steak la bistecca
steep ripido
steps (flight of) la scalinata
stereo il hi fi
to sting pungere
stocking la calza
to stop
  fermare, fermarsi, smettere
  stop it! piantala!
stop la fermata
straight ahead diritto
straight, directly direttamente
strange, weird strano
strawberry la fragola
strict severo
striped a righe
strong; great (slang) forte
structure (building)
  la struttura
student lo studente (m),
  la studentessa (f)
to study studiare
stuff la roba
stupid stupido
  to act stupid fare lo stupido
style lo stile
to submit sottoporre
to succeed in, manage to
  riuscire a

Vocabolario

Vocabolario – inglese/italiano

suddenly di colpo
to suffer soffrire
suffering la sofferenza
sugar lo zucchero
to suggest suggerire
to suit stare bene a
suitcase la valigia
summer l'estate *(f)*; estivo
sun il sole
to sunbathe prendere il sole
Sunday domenica
sunflower il girasole
sunglasses gli occhiali da sole
sunscreen la crema
  abbronzante (protettiva)
superficial superficiale
supermarket il supermercato
support il sostegno
to support tifare per
sure sicuro
surprise la sorpresa
to sweat sudare
sweat il sudore
sweet, dessert il dolce
sweets la caramella, il dolce
to support tifare per
to swim nuotare
swimming il nuoto
swimming pool la piscina
Swiss svizzero
Switzerland la Svizzera
system il sistema

T

table il tavolo
**to take; to pick up; to get; to
  catch** *(a train, etc.)* prendere
to take *(photos)* scattare
to take back riportare
to take off *(clothing)*
  levarsi; togliersi
to talk parlare
  don't talk to me about it!
  non me ne parlare!
  talk to you soon
  ci sentiamo
  to talk about this and that
  parlare del più e del meno
tanned abbronzato
taste il gusto
tea il tè
to teach to insegnare a
teacher
  l'insegnante *(m, f)*,
  il professore *(m)*,
  la professoressa *(f)*
team la squadra
to tease canzonare
to telephone telefonare a
telephone booth
  la cabina telefonica

telephone card
  la carta telefonica
television la televisione
to tell raccontare
  tell me! dimmi!
temple il tempio *(pl templi)*
tennis il tennis
tent la tenda
test la prova
thank you, thanks grazie
that quello
that is, in other words cioè
that's enough! basta!
then poi, allora
there lì, la
therefore quindi
to think pensare
  I think, I reckon
  secondo me
  **what do you think of
  it/them?** che ne dici?
  to think to oneself
  pensare fra sé
third terzo
thirty trenta
  about thirty una trentina
thirst la sete
  to be thirsty avere sete
thirsty sete
this questo
thoughtlessness l'incoscienza
thousand
  one thousand mille
  two thousand duemila
thriller il film thriller
throat la gola
through attraverso
to throw buttare
Thursday giovedì
ticket il biglietto
tie la cravatta
tight stretto
time; weather il tempo
  lots of times più volte
  on time in orario
  to spend *(time)*; **to pass**
  passare
tired stanco
tiring faticoso
tissue il fazzoletto
to a; in
today oggi
toe il dito del piede
together insieme
toilet il gabinetto, i servizi
tomato il pomodoro
tomorrow domani
ton la tonnellata
to tone up tonificarsi
toned tonificato
tonight, this evening stasera

too (much) troppo
tooth il dente
top *(knitted)* la maglietta
top
  at the top (of) in cima (a)
to touch toccare
tour il giro
tourism il turismo
tourist il/la turista
tournament il torneo
tower la torre
town, city la città
town; country il paese
  little town il paesetto
tracksuit la tuta
traffic il traffico
  there's a traffic jam
  è bloccato
traffic light il semaforo
traffic sign il segnale stradale
train il treno
to train, work out allenarsi
transmission il cambio
trash can il bidone
to travel viaggiare
travel agency l'agenzia viaggi
travel agent l'agente di viaggi
treadmill il tapis roulant
treasure; darling il tesoro
tree l'albero
to trick, deceive ingannare
trip la gita; l'escursione *(f)*
trouble i guai
truck il camion
true vero
truly davvero
truth la verità
to try (on) provare
Tuesday martedì
turbulence la turbolenza
to turn girare
to turn off spegnere
twin il gemello
to type digitare
type, sort, kind il tipo
typical tipico
tire il pneumatico

U

ugly brutto
umpire, referee l'arbitro
uncle lo zio
under sotto
to understand capire
understanding comprensivo
unemployed disoccupato
unemployment
  la disoccupazione
unfortunately purtroppo

uniform l'uniforme *(f)*
uninteresting; commonplace
  banale
university degree la laurea
university graduate il laureato
unjust ingiusto
unleaded fuel
  la benzina verde
unpleasant antipatico
unsatisfactory *(school grade)*
  l'insufficiente *(m)*
unspoiled incontaminato
until finché, fino a
unusual originale
to be upset rimanere male
  don't get upset
  non te la prendere
up there lassù
up-to-date aggiornato
to be useful to scrivere a
user l'utente *(f)*
usual solito
  as usual come al solito

V

vacation la vacanza
valley la valle
variety la varietà
variety program
  il programma di varietà
Vatican il Vaticano
VCR, videocassette recorder
  il videoregistratore
vegetables la verdura
very; much; many molto
vet il veterinario
victim la vittima
video game il videogioco
view il panorama, la veduta
violent violento
violin il violino
volcano il vulcano
volleyball il pallavolo
volunteer il volontario

W

waistcoat, vest il gilet
to wait aspettare
  wait a minute!
  un momento!
waiter il cameriere
to wake up svegliarsi
to walk andare a piedi
  to go for a walk
  fare una passeggiata
walk la passeggiata
walking/hiking boot
  lo scarpone
wall *(outside)* il muro
wallet il portafoglio

Vocabolario – inglese/italiano

to **want**   volere

war   la guerra

warming; heating
   il riscaldamento

to **wash**   lavare

to **wash (oneself)**   lavarsi

to **waste**   sprecare

to **watch**   guardare

water   l'acqua; acquatico *(adj)*

water skiing   lo sci nautico

watermelon   il cocomero

way; journey   il percorso
   by the way   a proposito
   on the way   per strada

weakness; weak subject
   il punto debole

to **wear, put on**   indossare

to **wear make-up**   truccarsi

weather forecast   il meteo

Wednesday   mercoledì

weight   il peso

weights   i pesi liberi

to **welcome**   dare il benvenuto

welcome   benvenuto
   you're welcome   di niente

well   bene

well then   insomma

what; that   che

what?   che cosa?

wheel   la ruota

where?   dove?

while   mentre

whiskers, moustache   i baffi

white   bianco

who?   chi?

who knows?   chissà?

whole   intero

why?   perché?

wife   la moglie

willing to   disposto a

wimp   il fifone
   what a wimp!   che fifone!

to **win**   vincere

win over; conquer   conquistare

wind   il vento

window *(e.g. of train, car)*
   il finestrino

wine   il vino

wine bar   l'osteria

winter   l'inverno, invernale

with   con

to **withdraw**   ritirare

without   senza

to do **without**   fare a meno di

witty   spiritoso

wolf   il lupo

woman   la donna

wonderful, exceptional
   fantastico, d'oro *(lit. of gold, golden)*

wood   il legno

work   il lavoro

to **work**   lavorare
   what hard work!   che fatica!

to **work, function**
   funzionare

work experience   lo stage

worker   l'operaio

work-related   lavorativo

world   il mondo

worried   preoccupato

to **worry**   preoccuparsi

worse; worst   peggiore *(adj)*;
   peggio *(adv)*

to be **worth**   valere

to **wrap up**   incartare

wrapper   l'involucro

wrist   il polso

to **write (to)**   scrivere (a)

wrong; mistaken   sbagliato

to be **wrong**   avere torto;
   sbagliarsi

Y

year   l'anno

yellow   giallo

yes   sì

yesterday   ieri

yet; still   ancora, eppure

young person   il giovane

Yugoslav   iugoslavo

Yugoslavia   la Iugoslavia